S0-BKQ-008
SACRAMENTO, CA 95814
04/2021

声律启蒙

（清）车万育/原著

益博轩/编

北京联合出版公司
Beijing United Publishing Co.,Ltd.

图书在版编目（CIP）数据

声律启蒙 /(清) 车万育原著；益博轩编. -- 北京：北京联合出版公司, 2016.2（2017.4重印）

（我爱学国学·拓展阅读本：彩图注音版. 孩子一定要读的国学启蒙经典）

ISBN 978-7-5502-6895-1

Ⅰ.①声… Ⅱ.①车… ②益… Ⅲ.①诗词格律—中国—启蒙读物 Ⅳ.①I207.21

中国版本图书馆CIP数据核字(2015)第322001号

声律启蒙

选题策划：益博轩

作　　者：(清) 车万育

编　　者：益博轩

责任编辑：崔保华

北京联合出版公司出版

（北京市西城区德外大街83号楼9层　100088）

三河市明华印务有限公司　新华书店经销

字数120千字　710毫米×1000毫米　1/16　11印张

2016年4月第1版　2017年4月第2次印刷

ISBN 978-7-5502-6895-1

定价：28.00元

未经许可，不得以任何方式复制或抄袭本书部分或全部内容

版权所有，侵权必究

本书若有质量问题，请与本社图书销售中心联系调换

电话：010-64243832

前　言

　　国学就是中国之学，中华之学，是我们中华民族几千年来生生不息的根与魂，是我们华夏儿女的遗传基因和精神支柱，我们要像神圣的生命火炬一样将国学世世代代传承下去。

　　数千年的中华文明源远流长，我们的祖先积累了大量与人、与己、与世相处的智慧，沉淀在浩如烟海的经典著作当中，从《论语》《三字经》《弟子规》等启蒙读物，到《左传》《世说新语》等历史故事，再到《红楼梦》《西游记》等鸿篇巨著，都是我们应当要了解的珍贵的宝藏，它们体现了中华民族博大精深的文化内涵。

　　对孩子们来说，了解和接续这些传统智慧，如同师从圣哲，能够学会谦和待人、谨慎待己、勤学好问等优良品行，能够培养刚健的人格品质，从而成为内外兼修的阳光少年和未来精英。

　　为此，我们组织编选了这套"孩子一定要读的国学启蒙经典"，是非常适合孩子们读的启蒙读物。概言之，这套书有如下特点：

　　1. 选本经典、考究——专为小学生量身打造的国学启蒙读物，千百年来中国读书人必读的中华传统经典，并择取这些著作中的精华部分，贴近孩子的认知和生活经验，宜读、宜记、宜理解，并能在熟读过程中融会贯通，启发他们心智，引导他们修身。

2. 注译精准、适读——专门邀请古汉语专家对原文作精校和注译，文白对照，大字注音，用孩子能懂的语言讲故事，作讲解，让孩子真正无障碍阅读，直接明晰体验。

3. 栏目贴心、助学——精心设计"识字学成语""小小智慧窗"等小栏目，让孩子在读故事的同时，学习成语，拓展知识，全面了解博大精深的历史文化。

4. 彩插生动、活泼——精美手绘插图，既富有传统古韵，又活泼新颖，让孩子能更好地理解原文，在轻松的氛围中享受阅读的乐趣。

朗朗上口的诗文雅韵，历久弥新的名言警句，代代相传的名章典故，让孩子从这些国学经典中了解中华文化，习得祖先智慧，这是我们做书的初衷。希望孩子通过阅读滋养身心，一步一个脚印，成长为一个有良心、有道德、有教养的君子。

编者

目录

一东
yī dōng

原文

云对雨，雪对风，晚照对晴空。来鸿①对去燕，宿鸟对鸣虫。三尺剑，六钧弓，岭北对江东。人间清暑殿，天上广寒宫。两岸晓烟杨柳绿，一园春雨杏花红。两鬓风霜，途次②早行之客；一蓑烟雨，溪边晚钓之翁。

释义

①鸿：大雁。

②途次：行路中。

译文

云和雨相对，雪和风相对，晚照和晴空相对。飞来的大雁与飞走的燕子相对，回巢的鸟儿与鸣叫的虫子相对。三尺长的剑对六钧重的弓，岭北地区和江东地区相对。人间有消夏的清暑殿，天上有清冷的广寒宫。河两岸晨雾缭绕，杨柳碧绿；经春雨清洗后，园中的杏花更显艳红。风尘仆仆的旅人，两鬓斑白，早早就起床赶路；傍晚时分，一位老翁披着蓑衣，在毛毛细雨中静静垂钓。

故 事

贾岛推敲的故事

唐代诗人贾岛有一次骑驴闯了官道。当时，他正思考着一首诗，全诗如下："闲居少邻并，草径入荒园。鸟宿池边树，僧推月下门。过桥分野色，移石动云根。暂去还是来此，幽期不负言。"在这首诗中，他一直犹豫不定，到底是用"僧推月下门"呢，还用"僧敲月下门"？他嘴里就推敲推敲地念叨着，不知不觉就骑着驴闯进了大官韩愈的仪仗队里。韩愈比较有涵养，他问

贾岛为何乱闯。贾岛就把自己作了一首诗，

但是其中一句拿不定是用"推"好，还是

用"敲"好的事说了一遍。韩愈听了，哈哈

大笑，对贾岛说："我看还是用'敲'好，

万一门是关着的，推怎么能推开呢？再者晚

上去别人家，还是敲门有礼貌呀！而且一个

'敲'字，使夜静更深之时，多了几分声

响。静中有动，岂不活泼？"贾岛听了频频点头。贾岛因作诗而误闯官道，不但没受处罚，还作出了诗，并和韩愈交上了朋友，真是一举多得呀。

识字学成语

走南□北　坚定不□　顺水□舟

原文

沿①对革②，异对同，白叟对黄童。江风对海雾，牧子对渔翁。颜③巷陋，阮④途穷，冀北对辽东。池中濯⑤足水，门外打头风⑥。梁帝讲经同泰寺，汉皇置酒未央宫。尘虑萦心，懒抚七弦绿绮；霜华满鬓，羞看百炼青铜。

释 义

①沿：继承。

②革：改革。

③颜：颜回，孔子的弟子。

④阮：阮籍，晋代诗人。

⑤濯：洗。

⑥打头风：指逆风。

译 文

　　继承和改革相对，异和同相对，白发的老翁与黄发的儿童相对。江上的风对海上的雾，放牧的孩子和打渔的老翁相对。颜回甘于清贫，阮籍不入世俗，冀北与辽东相对。池中有水可以净足，迎面的风往往打头。梁武帝喜欢尊佛崇道，常与高僧在同泰寺讲经论佛；汉高祖刘邦统一天下之后，曾在未央宫设宴款待群臣。因为世事烦心，所以连七弦和绿绮也懒得抚弄；因为满鬓白发，所以不愿再对镜梳妆。

故 事

sū shì xiōng mèi duì duì lián
苏氏兄妹对对联

yí rì sū shì yǔ sū xiǎo mèi　　huáng tíng jiān shǎng huà　　jiàn
一日苏轼与苏小妹、黄庭坚赏画，见

shàng miàn tí lián hěn yǒu qù　　qīng fēng xì liǔ　　dàn yuè méi huā
上面题联很有趣：轻风细柳，淡月梅花。

看似是四字联，中间却空一字。小妹建议为

中间加字作"腰"，成为五言联句。苏轼文

思最快，填字使之成为："轻风摇细柳，淡

月映梅花。黄庭坚接着对："轻风舞细柳，

淡月隐梅花。"小妹则填为："轻风扶细

柳，淡月失梅花。"纵观三人的对联，小妹

的对联最妙："扶"字不仅写出风的轻柔和

柳的纤弱，而且写出了风与柳的亲昵之态；"失"字既强调了月光的皎，又兼顾梅花的洁，突出了两者融为一色的景象。

相传苏轼与其父苏洵及小妹也曾有过一次"深浅随所得"的撰联比赛。这日，他们来到五云山之西的云栖。此地因五彩云霞飞集停伫而名，向以清凉幽静、花香醉人著称。苏洵见此美景，要大家各作一联，并限定收尾之字为"冷"和"香"。苏轼思维敏捷，当下说道："拂石生来夜带冷，踏花归去马蹄香。"苏小妹也不甘示弱，说："叫月杜鹃喉舌冷，宿花蝴蝶梦魂香。"

苏洵听了，连连摇头说："句子都还不错，就是与此间景致离得太远了些。你们听我的。"他随即吟道："水自石边流出冷，

fēng cóng huā lǐ guò lái xiāng
风从花里过来香。"

sū shì hé xiǎo mèi bù dé bú tàn fú   zhí kuā cǐ lián shì shén
苏轼和小妹不得不叹服，直夸此联是神

lái zhī bǐ
来之笔。

识字学成语

无足重　　答如流　心灰意

原文

pín duì fù   sè duì tōng   yě sǒu duì xī tóng   bìn pó duì
贫对富，塞对通，野叟对溪童。鬓皤①对

méi lǜ   chǐ hào   duì chún hóng   tiān hào hào   rì róng róng   pèi jiàn
眉绿②，齿皓③对唇红。天浩浩，日融融，佩剑

duì wān gōng   bàn xī liú shuǐ lǜ   qiān shù luò huā hóng   yě dù
对弯弓。半溪流水绿，千树落花红。野渡

yàn chuān yáng liǔ yǔ   fāng chí yú xì jì hè fēng   nǚ zǐ méi
燕穿杨柳雨，芳池鱼戏芰荷④风。女子眉

xiān   é xià xiàn yì wān xīn yuè   nán ér qì zhuàng xiōng zhōng tǔ
纤⑤，额下现一弯新月；男儿气壮，胸中吐

wàn zhàng cháng hóng
万丈长虹。

释 义

①皤：白色。

②绿：古时女子用一种青黑色颜料画眉，所以称"眉绿"。

③皓：洁白。

④茇荷：荷叶下的菱茇，两角为菱，四角为茇。

⑤纤：细。

译 文

贫穷与富贵相对，堵塞与畅通相对，山林老翁与乡野孩童相对。鬓间的白发与青黑的眉毛相对，洁白的牙齿与鲜艳的红唇相对。广阔的天对暖暖的日，佩剑与弯弓相对。小溪碧绿见底，千树落英缤纷。野外的渡口小雨霏霏，燕子在细柳碧杨中穿梭；清清河池，微风吹来阵阵清香，鱼儿们在荷茇间快乐地嬉戏。女子眉细，似天上弯弯的新月；男儿壮志，胸中似有万丈长虹。

故 事

sū shì yǔ fó yìn
苏轼与佛印

sū shì de péng you hěn duō　　　qí zhōng yǒu ge péng you jiù shì shī
苏轼的朋友很多，其中有个朋友就是诗

sēng fó yìn　　　fó yìn suī rán shì chū jiā rén　　　què dùn dùn bú bì jiǔ
僧佛印。佛印虽然是出家人，却顿顿不避酒

ròu　　zhè yì tiān　　fó yìn jiān le yú xià jiǔ　　　gāng hǎo sū shì dēng
肉。这一天，佛印煎了鱼下酒，刚好苏轼登

门来访。于是，佛印急忙把鱼藏到大磬之下。苏轼从很远就闻到了鱼的香味，一进门却四处也看不到鱼。于是就心生一计，故意说道："向阳门第春常在。"对老友念出人所共知的旧句。佛印感到十分诧异，顺口便说："谁不知下句是：积善人家庆有余。"

话音刚落，苏轼就大笑道："既然磬（庆）里有鱼（余），那就积点善，拿出来大家一道吃吧。"

对应古诗

《塞下曲》

唐·卢纶

林暗草惊风，将军夜引弓。
平明寻白羽，没在石棱中。

二冬
èr dōng

原 文

chūn duì xià　　qiū duì dōng　　mù gǔ duì chén zhōng　　guān shān
春 对 夏 ， 秋 对 冬 ， 暮 鼓 对 晨 钟 [1] 。 观 山

duì wán shuǐ　　lǜ zhú duì cāng sōng　　féng fù hǔ　　yè gōng lóng　　wǔ
对 玩 水 ， 绿 竹 对 苍 [2] 松 。 冯 妇 虎 ， 叶 公 龙 ， 舞

dié duì míng qióng　　xián ní shuāng zǐ yàn　　kè　　mì jǐ huáng fēng
蝶 对 鸣 蛩 [3] 。 衔 泥 双 紫 燕 ， 课 [4] 蜜 几 黄 蜂 。

chūn rì yuán zhōng yīng qià qià　　qiū tiān sài wài yàn yōng yōng　　qín lǐng
春 日 园 中 莺 恰 恰 ， 秋 天 塞 外 雁 雍 雍 。 秦 岭

yún héng　　tiáo dì bā qiān yuǎn lù　　wū shān yǔ xǐ　　cuó é
云 横 ， 迢 递 [5] 八 千 远 路 ； 巫 山 雨 洗 ， 嵯 峨 [6]

shí èr wēi fēng
十 二 危 [7] 峰 。

释 义

①暮鼓对晨钟：佛教规矩，寺庙中晚上打鼓，早晨敲钟。

②苍：青。

③蛩：蟋蟀。

④课：采。

⑤迢递：遥远。

⑥嵯峨：形容山势高峻。

⑦危：高。

❀ 译 文

　　春与夏相对，秋与冬相对，傍晚打鼓与早上敲钟相对。观赏山川美景与游乐池亭溪边相对，翠竹与青松相对。冯妇打虎有真本事，叶公好龙是假喜欢，飞舞的蝴蝶与鸣叫的蟋蟀相对。紫燕双双衔泥筑巢，几只黄蜂穿梭飞舞忙于采蜜。春天的花园中有黄莺的和鸣声；深秋时分，塞外有大雁和美的叫声。秦岭山川，连绵不断，路途遥远；雨后巫山，巍峨耸立，挺拔峻峭。

❀ 故 事

一片冰心在玉壶

　　唐朝开元、天宝年间的一天，润州(今江苏镇江)西北的芙蓉楼上，来了两个人，他们是大名鼎鼎的诗人王昌龄和他的朋友辛渐。

　　两位朋友在这曾经是古代吴国的地方，俯视楼下滚滚流去的长江，望望西北面的楚山，互相交谈着。王昌龄说道："辛兄，这次一别，不知道什么时候还能再见啊。"原来，辛渐要从这儿到洛阳去，现在船已经在岸边停着了。

辛渐知道，王昌龄在洛阳有不少亲友，他们肯定听到了别人对王昌龄的诽谤。他便关心地问："昌龄兄，我去洛阳，你可有什么话让我告诉那边的亲友？"

王昌龄说道："有！洛阳的亲友如果问起我的情况，请你告诉他们：我的心，好比是玉壶里一片冰凌那样的洁白，决不会被功名利禄的欲念和别人的谤议所

左右的！"于是，他朗声吟了题为《芙蓉楼送辛渐》的诗：

寒雨连江夜入吴，平明送客楚山孤。

洛阳亲友如相问，一片冰心在玉壶。

辛渐连连赞道："好诗！好诗！'一片冰心在玉壶'，这表明你始终坚持自己清白自守的节操，足可告慰你在洛阳的亲友了。"

❀ 原文

明对暗，淡对浓，上智①对中庸②。镜奁③对衣笥④，野杵⑤对村春⑥。花灼烁⑦，草蒙茸⑧，九夏对三冬。台高名戏马，斋小号蟠龙。手擘蟹螯从毕卓，身披鹤氅自王恭。五老峰高，秀插云霄如玉笔；三姑石大，响传风雨若金镛。

释 义

①上智：智力突出的人。

②中庸：德才平常的人。

③镜奁：妇女梳妆用的镜匣。

④衣笥：盛衣服的方形竹器。

⑤杵：用以捣物的木棒。

⑥春：把东西放在石臼或乳钵里捣去皮壳或捣碎。

⑦灼烁：光彩鲜亮的样子。

⑧蒙茸：杂乱的样子。

译 文

明亮与昏暗相对，淡薄与浓厚相对，聪明与平庸相对。镜子与衣箱相对，野外的捣衣声与村中的春米声相对。光鲜的花与杂乱的草相对，炎夏与寒冬相对。项羽为了观马建了个高高的观马台；桓温居所虽小，但上绘龙图，所以号称蟠龙斋。晋朝毕卓以一手拿着蟹螯，一手执着酒杯为人生乐事；王恭身披鹤氅在雪地里行走，被人羡为神人。高高的五老峰，如玉笔一样直插云霄；敲击三姑石，可听到洪钟般的响声，直透风雨。

故 事

chén zǐ áng dēng yōu zhōu tái
陈子昂登幽州台

chén zǐ áng shì chū táng zhù míng de shī rén hé zhèng zhì jiā　　wǔ
陈子昂是初唐著名的诗人和政治家。武

则天当政时，契丹族经常骚扰唐朝边境，陈子昂主动请缨，被任命为大将军武攸宜的参谋，随大军一同出征。陈子昂根据当时的形势，提出应当分兵万人为前导。刚愎自用的武攸宜非但不采纳他的正确建议，反而将他降职。陈子昂心中郁郁不乐，独自登上了幽州台。

幽州台是战国时代燕昭王为招贤纳士而修筑的。当时燕国与齐国交战，开始燕国被打得一败涂地，几乎亡国。燕昭王就建筑了此台，以期能

招徕天下豪杰。名将乐毅有感于燕昭王礼贤下士，就主动投奔到燕王麾下，得到燕王的重用，燕国终于在乐毅的率领下把齐国打败了。登台远眺，怀古伤今，陈子昂更感自己怀才不遇，满腹的悲怆感油然而生，遂写下了被奉为经典的佳作《登幽州台歌》：

前不见古人，后不见来者。

念天地之悠悠，独怆然而涕下！

识字学成语

惊心　魄　光明　大　喜交加

原文

仁对义，让对恭，禹舜对羲农。雪花对云叶①，芍药对芙蓉。陈后主②，汉中宗③，绣虎④对

diāo lóng　　 liǔ táng fēng dàn dàn　　huā pǔ yuè nóng nóng　　chūn rì zhèng yí
雕龙⑤。柳塘风淡淡，花圃月浓浓。春日正宜

zhāo kàn dié　　qiū fēng nǎ gèng　　yè wén qióng　　zhàn shì yāo gōng　　bì jiè gān
朝看蝶，秋风那更⑥夜闻蛩。战士邀功，必借干

gē chéng yǒng wǔ　　 yì mín shì zhì　　 xū píng shī jiǔ yǎng shū yōng
戈成勇武；逸民适志⑦，须凭诗酒养疏慵⑧。

释　义

①云叶：像叶子一样的云朵。

②陈后主：南朝时陈朝的后主陈叔宝，在位七年后被隋所灭。

③汉中宗：指西汉宣帝刘洵，在位廿五年。

④绣虎：三国时曹植七步成诗，文采斐然，世称"绣虎"。

⑤雕龙：指南朝梁刘勰，著有《文心雕龙》一书。

⑥更：能够忍受。

⑦适志：指顺心如意。

⑧疏慵：懒散。

译　文

　　仁德与义气相对，忍让与恭敬相对，夏禹、虞舜和伏羲氏、神农氏相对。雪花与云朵相对，芍药和芙蓉相对。荒淫无度的陈后主与中兴汉室的汉中宗相对，三国时文采斐然的曹植与南朝时著书有成的刘勰相对。微风吹拂着柳塘，月色笼照着花圃。春光明媚的早上，正适合欣赏蝴蝶；秋风萧瑟的晚上哪还忍受蟋蟀的鸣声。战士要建功立业，一定要到战场上去施展宏图；隐士要想顺心如意，必须借助于品诗饮酒来保持自身懒散的性情。

☘ 故 事

韩愈直斥佞佛遭贬

韩愈是唐代著名的散文家和诗人，当时的皇帝唐宪宗十分迷信佛法。韩愈觉得，皇帝如此崇尚迷信活动，对于国计民生没有一点儿好处。于是他花时间精心写了一道奏章，痛切地指出佞佛的极大危害，要求皇帝立即下令制止。

唐宪宗看到这道奏章之后十分生气，把韩愈由刑部侍郎贬为潮州刺史，并驱逐出京师。

当时的潮州(今广东)是南方海边的荒僻之地。被贬谪的官员是要立刻动身的，韩愈和妻儿告别后，独自启程。一路上，他悲愤不平，但是他也毫不后悔自己的选择。

韩愈的侄孙韩湘听说叔祖父孤身上路，十分不放心，就赶来和他同行，在离京师不远的蓝田追上了他。

韩愈望望远处，终南山上满布着浓云，天空下着大雪，积雪堆在蓝田关前的大道上，连马都没法儿前进了。这时，他激昂慷慨地向韩湘吟诵了一首著名的诗篇（即《左迁至蓝关示侄孙湘》）：

一封朝奏九重天，夕贬潮州路八千。

欲为圣明除弊事，肯将衰朽惜残年！

云横秦岭家何在？雪拥蓝关马不前。

知汝远来应有意，好收吾骨瘴江边。

识字学成语

| 阳重天 | 一股正 | 颜无耻 |

全诗写得正气磅礴，笔势纵横开合，境界雄壮阔达，表达了一种深厚而抑郁的感情，具有撼动人心的力量，因而流传千古。

对应古诗

《春宫怨》

唐·杜荀鹤

早被婵娟误，欲妆临镜慵。
承恩不在貌，教妾若为容。
风暖鸟声碎，日高花影重。
年年越溪女，相忆采芙蓉。

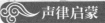

sān jiāng
三江

🍇 原 文

楼对阁，户对窗，巨海对长江。蓉裳① 对
蕙帐②，玉斝③ 对银釭④。青布幔，碧油幢⑤，宝
剑对金缸。忠心安社稷，利口⑥ 覆家邦。世祖 中
兴延⑦ 马武，桀王失道杀龙逄。秋雨潇潇，漫
烂黄花都满径；春风袅袅，扶疏⑧ 绿竹正盈⑨
窗。

🍇 释 义

① 蓉裳：指华丽的衣服。

② 蕙帐：充满兰蕙幽香的屋室。

③ 玉斝：玉制的酒器。

④ 银釭：银制的油灯。

⑤ 碧油幢：青绿色的油布帷幕。幢：古代的旗子。

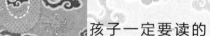

⑥利口：谗言佞语。

⑦延：任用。

⑧扶疏：茂盛。

⑨盈：满。

译 文

　　楼和阁相对，门和窗相对，浩瀚大海与滚滚长江相对。华丽的衣服与幽香的居室相对，玉制的酒器与银制的油灯相对。青布帐幕与油布帷幕相对，锋利的宝剑与金色的酒缸相对。忠心耿耿，可安定国家；谗言佞语，可颠覆朝邦。东汉世祖刘秀知人善任，倚重马武；夏朝的末代君王桀却残暴失道，杀害了直言进谏的臣子龙逢。秋雨细细地下着，落地的黄花铺满小路；春风和熙地吹着，茂盛的竹枝遮满窗口。

故 事

王维与孟浩然
wáng wéi yǔ mèng hào rán

孟浩然是湖北襄阳人，青年时讲节义，
mèng hào rán shì hú běi xiāng yáng rén　qīng nián shí jiǎng jié yì

隐居在鹿门山，一心作诗。当他四十岁出山
yǐn jū zài lù mén shān　yì xīn zuò shī　dāng tā sì shí suì chū shān

时，已是名满天下，而此时他希望在仕途上
shí　yǐ shì míng mǎn tiān xià　ér cǐ shí tā xī wàng zài shì tú shàng

谋得发展。当时，王维也很有诗名，又担任
móu dé fā zhǎn　dāng shí　wáng wéi yě hěn yǒu shī míng　yòu dān rèn

尚书右丞的高官。孟浩然便去拜访他，希望得到他的引荐。但是，他却找错了对象，王维嫉妒孟浩然的才能，生怕皇帝一见孟浩然便会疏远自己。因此，王维虽表面上大捧孟浩然，实际上却抑制他的仕进之路。

有一次，孟浩然正在王维家谈诗论道，唐玄宗李隆基忽然来了，王维便令孟浩然躲在床底下。唐玄宗与王维谈了一些政事之后，看到桌上有诗笺，便拿起来看。这诗正是孟浩然所写的《岁暮归南山》，诗云：

北阙休上书，南山归敝庐；

不才明主弃，多病故人疏；

白发催人老，青阳逼岁除；

永怀愁不寐，松月夜窗虚。

唐玄宗看了"不才明主弃"这一句很不

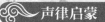

高兴，对王维说："这人岂有此理，他自己不来找我，怎么可以说我弃他呢！"据说，王维听到这话后，并不替孟浩然辩解，更谈不上替孟浩然引见了。在床底下躲着的孟浩然，自知找错了人，自己与仕途无缘了。

原文

旌①对旆②，盖对幢，故国对他邦。千山对万水，九泽③对三江。山岌岌④，水淙淙⑤，鼓振对钟撞。清风生酒舍，皓月照书窗。阵上倒戈辛纣⑥战，道旁系剑子婴⑦降。夏日池塘，出沿浴波鸥对对；春风帘幕，往来营垒⑧燕双双。

27

释 义

①旌：古代一种旗杆顶上用彩色羽毛装饰的旗。

②旆：是末端形状像燕尾的旗。

③九泽：古时九大湖泊。

④岌岌：形容山峰高耸。

⑤淙淙：流水的声音。

⑥辛纣：商纣王。

⑦子婴：秦始皇的孙子。

⑧垒：鸟巢。

译 文

　　旌旗与旆旗相对，车篷与车帘相对，故国与他乡相对。千山和万水相对，九个大湖和三条大江相对。巍峨的高山与淙淙的流水相对，打鼓与撞钟相对。清风吹拂着酒馆，明月映照着书窗。商纣统治无道，以致将士阵前起义，倒戈伐纣；沛公刘邦英勇善战，一路大破秦军，最后逼得秦朝末代君王子婴只得把剑系在路旁，素衣白马而投降。夏日池塘，鸥鸟成双成对在水面飞翔；春风卷动帘幕，一对对燕子来往穿梭，忙着衔泥筑巢。

故 事

抗金名将岳飞

　　岳飞是南宋著名的将领。据史书记载，岳飞年青时勤奋好学，并练就一身好武艺。

十九岁时投军抗辽。靖康二年五月，康王赵构登基，建立南宋。岳飞上书高宗，要求收复失地，被革职。

绍兴六年，岳飞出师北伐。此次北伐，岳飞壮志未酬，却写下了千古绝唱的名词《满江红》：

怒发冲冠，凭阑处，潇潇雨歇。抬望

眼，仰天长啸，壮怀激烈。三十功名尘与土，八千里路云和月。莫等闲，白了少年头，空悲切！

靖康耻，犹未雪；臣子恨，何时灭？驾长车，踏破贺兰山缺。壮志饥餐胡虏肉，笑谈渴饮匈奴血。待从头，收拾旧山河，朝天阙！

岳飞一生屡次建功，沉重地打击了金朝统治者对于劳动人民的掳掠和破坏。

识字学成语

| 志凌云 | 笑风生 | 龙 | 凤舞 |

原文

铢^①对两，只对双，华岳^②对湘江。朝车^③对禁鼓^④，宿火^⑤对寒缸。青琐闼^⑥，碧纱窗，汉社对周邦。笙箫鸣细细，钟鼓响枞枞^⑦。主簿^⑧栖鸾名有览，治中展骥姓惟庞。苏武牧羊，雪屡餐于北海；庄周活鲋，水必决于西江。

释义

①铢：古代计量单位。一铢等于二十四分之一两。

②华岳：即华山。

③朝车：早朝乘坐的车。

④禁鼓：晚上禁止通行的鼓，宵禁之鼓。

⑤宿火：即隔夜未熄的火。

⑥青琐闼：刻有青色连环花纹的宫门。闼：宫门。

⑦枞枞：敲击钟鼓的声音。

⑧主簿：县令的属官，主管文书簿籍之事。

译 文

铢与两相对，单与双相对，华山与湘江相对。早朝的车和晚禁的鼓相对，隔夜的火与冰冷的缸相对。刻有青色连环花纹的宫门和装有绿色薄纱的窗户相对，汉朝社稷和周朝国邦相对。用笙箫吹出的是纤细的乐音，用钟鼓奏出的是雄壮的乐音。东汉的主簿仇览虽官小位卑，却胸怀大志；三国时的庞统只有位在治中、别驾之上时，才能显示出他千里马般的才华。苏武牧羊，在北海风餐露宿；庄周对车辙坑中的鲫鱼说，他将决堤引水来救它。

故 事

白居易改诗

唐代大诗人白居易作诗，力求通俗易懂，明白晓畅。据说他每写一诗，都会找村中的老妪读一下，老太太能理解的就抄录，不明白的就改写。

有一次，他写了一首《新制绫袄成感而有咏》，把其中几句念给老仆人听：

bǎi xìng duō hán wú kě jiù　　yì shēn dú nuǎn yì hé qíng
百姓多寒无可救，一身独暖亦何情！

xīn zhōng wèi niàn nóng sāng kǔ　　ěr lǐ rú wén jī dòng shēng
心中为念农桑苦，耳里如闻饥冻声。

ān dé dà qiú cháng wàn zhàng　　yǔ jūn dōu gài luò yáng chéng
安得大裘长万丈？与君都盖洛阳城！

lǎo rén tīng le yǐ hòu shuō dào　　nǐ shuō de wǒ dōu míng
老人听了以后说道："你说的我都明

bai　　zhǐ shì　　ān dé dà qiú cháng wàn zhàng　　zhòng de　　ān
白，只是'安得大裘长万丈'中的'安'

zì　　wǒ rèn wéi hái shì gǎi yì gǎi hǎo　　bái jū yì wèn lǎo rén
字，我认为还是改一改好。"白居易问老人

qí zhōng yǒu hé dào lǐ
其中有何道理。

识字学成语

| 居 | 乐 | 业 | 平 | | 近 | 人 | | 所 | 当 | 然 |

老人说，道州刺史元结是位百姓忘不了的好官，给大伙儿盖房子，教育官吏们不要欺压百姓，道州不就有了万丈长裘了吗？

白居易认为老仆人说的有道理，就将"安"字改为"争"字。意思是要做官的人以"为百姓谋福利"的思想去"争得大裘长万丈"。

对应古诗

《静夜思》

唐·李白

床前明月光，疑是地上霜。
举头望明月，低头思故乡。

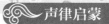

四支
sì zhī

原 文

chá duì jiǔ　fù duì shī　yàn zǐ duì yīng ér　zāi huā duì zhòng
茶对酒，赋①对诗，燕子对莺儿。栽花对　种

zhú　luò xù duì yóu sī　sì mù jié②　yī zú kuí③　qú
竹，落絮对游丝。四目颉②，一足夔③，鸲

yù duì lù sī　bàn chí hóng hàn dàn⑤　yí jià bái tú mí⑥　jǐ
鹆④对鹭鸶。半池红菡萏⑤，一架白荼蘼⑥。几

zhèn qiū fēng néng yìng　hòu　yì lí chūn yǔ shèn zhī shí　zhì bó ēn
阵秋风能应⑦候，一犁春雨甚知时。智伯恩

shēn　guó shì tūn biàn xíng zhī tàn　yáng gōng dé dà　yì rén　shù duò
深，国士吞变形之炭；羊公德大，邑人⑧竖堕

lèi zhī bēi
泪之碑。

释 义

①赋：古代的一种文体，常用来写景叙事。

②四目颉：传说创造汉字的仓颉有四只眼睛。

③一足夔：夔，舜的臣子，熟知音乐，调声悲善。

④鸲鹆：八哥鸟。

⑤菡萏：荷花。

⑥荼蘼：一种落叶小灌木，花白色，有香气。

⑦应：知应，使人判断出。

⑧邑人：同乡的人们。

译文

茶与酒相对，赋与诗相对，燕子与黄莺相对。栽花与种竹相对，飘落的柳絮与摆动的蛛丝相对。四只眼的仓颉与一只脚的夔相对，八哥与鹭鸶相对。鲜艳的荷花染红了半个池塘，藤架上开满了白色的荼蘼花。几阵秋风吹过，就能知道到什么时节；一场春雨过后，更能知道进入什么时令了。晋国公卿智伯曾对豫让有恩，赵襄子杀智伯后，豫让为替智伯报仇，便吞下黑炭，漆身为癞，改变了声音容貌，以攻襄子的不备；西晋羊祜功德很高，死后乡人们便为他竖立了"堕泪碑"。

故 事

谢灵运对诗鲤鱼精

东晋年间，谢灵运被任命为永嘉太守。这一天，他来到沐鹤溪畔，只见波清水碧，风景如画。于是，他诗兴大发，正想吟上几句，忽然看到前面垂柳下，有两位红衣女子在水边浣纱，轻轻的笑语顺风传来。谢灵运便舍舟登岸，向两位女子走去。

这两位女子忽然看到面前来了一位陌生人，便立刻收起笑声，低头不语。谢灵运心想，我何不来个投石问路，试试她们的才气，就随口吟道：

浣纱谁家女，香汗湿新服。

对人默无言，何事甘辛苦？

两位女子听了，什么都不说，只是淡淡一笑。她们这么一笑，更加吸引谢灵运了。他刚想上前搭话，谁知她们却顺溪岸跑了。谢灵运跟着沿溪而下，只见两个姑娘放下竹篮，俯身

浣纱。谢灵运心想：好傲气的村姑，你们不
理睬我，我偏要戏弄你们一番，看你俩开不
开口。于是又走到两位姑娘身旁，吟道：

我是谢康乐，一箭射双鹤。

试问浣纱女，箭从何处落？

吟罢，只听见两位女子"哧哧"一笑，
随即吟道：

妾本潭中鲤，偶尔滩头嬉。

嬉罢自返潭，萍踪何处觅？

吟声刚落，只见她们纵身跃入碧波深潭
中去了。谢灵运仔细看时，只见碧波中游着
两尾红鲤鱼，它们朝谢灵运头点晃三下，尾
巴摇摆三下，双双潜入水底去了。

识字学成语

| 好 | | 不 断 | | 书 达 理 | | 澜 起 伏 |

原文

行对止，速对迟，舞剑对围棋。花笺①
对草字，竹简对毛锥②。汾水鼎③，岘山
碑④，虎豹对熊罴⑤。花开红锦绣，水漾碧琉
璃。去妇因探邻舍枣，出妻⑥为种后园葵。笛
韵和谐，仙管⑦恰从云里降；橹声咿轧，渔舟
正向雪中移。

释义

①花笺：精美的纸张。

②毛锥：指毛笔。

③汾水鼎：汉武帝曾得宝鼎于汾水，因此改年号为"元鼎"。

④岘山碑：即前文"堕泪碑"。

⑤罴：棕熊。

⑥出妻：指休妻。

⑦仙管：仙乐。

译文

行动和停止相对，快速和迟缓相对，舞剑和下棋相对。精美的纸张和
遒劲的草书相对，竹简和毛笔相对。汾水中有宝鼎，岘山上竖有"堕泪

碑"，虎豹与棕熊相对。鲜花盛开红如锦绣，水波荡漾碧如琉璃。汉朝的王吉要休掉妻子，是因为她摘了邻家的几个枣，春秋时的公仪休休了妻子，是因为她争分了园夫、织女的利益。笛声和谐，就如天上的仙乐临降人间一样；橹声响亮，渔夫正把船摇向大雪覆盖的江中。

🌸 故事

杜甫赋诗赠李龟年

李龟年是唐玄宗时期著名的音乐家，他

精通多种乐器并擅长唱歌，因其出色的音

乐才能受到唐玄宗

的赏识，被任命为

皇家乐队的队长，经

常出席宫廷娱乐活

动。王公大臣们，如

唐玄宗的弟弟岐王

李范和唐玄宗的宠

臣崔涤等，也争相邀请他到自己府中表演。

因此，李龟年常常成为王公贵族们的座上客。

当时，大诗人杜甫在长安做一名小官员。他官职虽小，诗名却盛，因此也经常被岐王和崔涤等请去做客。因此，杜甫和李龟年得以相识。他们熟识之后，相谈甚欢，倾慕彼此的才华，惺惺相惜。但是安史之乱爆发之后，唐玄宗逃往成都，李龟年逃往江南，杜甫也在逃亡的过程中被叛军所俘，身陷长安。但由于他官职小，因此并未被关押，最终还是逃出了长安，并投奔了唐肃宗，做了一名左拾遗。

后来，虽然安史之乱被平定，但是全国依然战乱迭起，十分不安定。然而，有一天，杜

fǔ ǒu rán yù dào le liú luò jiāng nán duō nián de lǐ guī nián liǎng rén
甫偶然遇到了流落江南多年的李龟年。两人

xiāng jiàn tán jí wǎng shì bù jīn gǎn kǎi wàn qiān dù fǔ xiě le yì
相见，谈及往事不禁感慨万千。杜甫写了一

shǒu qī jué zèng yǔ lǐ guī nián
首七绝，赠予李龟年：

qí wáng zhái lǐ xún cháng jiàn cuī jiǔ táng qián jǐ dù wén
岐王宅里寻常见，崔九堂前几度闻。

zhèng shì jiāng nán hǎo fēng jǐng luò huā shí jié yòu féng jūn
正是江南好风景，落花时节又逢君。

zhè shǒu shī xiě wán bú dào yì nián dù fǔ jiù yīn pín bìng jiāo jiā
这首诗写完不到一年，杜甫就因贫病交加

zài fù yuè yáng de zhōu zhōng qù shì ér dà yīn yuè jiā lǐ guī nián de
在赴岳阳的舟中去世。而大音乐家李龟年的

jié jú shǐ shū shàng zé méi yǒu jì zǎi
结局，史书上则没有记载。

识字学成语

| 气凌人 | 不 | 大体 | 不 | 上下 |

原 文

gē duì jiǎ gǔ duì qí zǐ yàn duì huáng lí méi suān
戈①对甲②，鼓对旗，紫燕对黄鹂。梅酸

duì lǐ kǔ qīng yǎn duì bái méi sān nòng dí yì wéi qí yǔ
对李苦，青眼③对白眉。三弄笛④，一围棋，雨

dǎ duì fēng chuī　hǎi táng chūn shuì zǎo　yáng liǔ zhòu mián chí　zhāng jùn
打对风吹。海棠春睡早，杨柳昼眠迟。张骏

céng wéi huái shù fù　dù líng　bú zuò hǎi táng shī　jìn shì tè qí
曾为槐树赋，杜陵⑤不作海棠诗。晋士特奇，

kě bǐ yì bān zhī bào　táng rú　bó shí　kān wéi wǔ zǒng zhī guī
可比一斑之豹；唐儒⑥博识，堪为五总之龟⑦。

释 义

①戈：兵器。

②甲：铠甲。

③青眼：指晋朝阮藉。

④三弄笛：古代笛曲《梅花三弄》。

⑤杜陵：杜甫。

⑥唐儒：指唐朝殷践。

⑦五总之龟：比喻人的学识广博。

译 文

　　兵器与铠甲相对，战鼓与军旗相对，紫燕鸟与黄鹂鸟相对。青酸的梅子与苦涩的李子相对，阮藉的青眼与马良的白眉相对。吹一曲笛曲，下一局围棋，雨打和风吹相对。唐宫有贵妃早睡，汉苑有杨柳迟眠。西晋凉州官员张骏，因凉州不生柳树，便移植了一些柳树到凉州，没想到全死了，仅在酒泉宫西北角的地方长出一些槐树来，因此张骏就写了《槐树赋》来抒发感情。唐朝大诗人杜甫，则因为母亲的名字叫"海棠"而从不作海棠诗。王献之幼时很奇特，可以用"管中窥豹，可见一斑"来形容他；唐朝的殷践猷学识广博，精通典籍，因此贺知章把他比作"五总之龟"。

🍇 故 事

虞世南咏蝉

这一天，唐太宗来到虞世南家，拿出一首刚刚写好的宫体诗，要擅长写宫体诗的虞世南也写一首，和他的诗一比高下。虞世南马上拱手说道："臣不能写。"唐太宗以为虞世南害怕了，不敢跟自己比试，就

得意洋洋地问道:"虞先生不会是害怕了吧?"虞世南上前一步,拱手说道:"微臣不是害怕比不过陛下。臣是经历过隋朝的衰亡的。隋朝的皇帝沉迷于宫体诗而不理朝政,最后导致亡了国。如今,当朝的文武百官看到陛下喜欢宫体诗,也都会效仿起来。如果朝廷官员像隋朝官员那样,整天吟诵着软绵绵的宫体诗。那么,唐朝可真的又要和灭亡的隋朝一样了。"

唐太宗听完,立刻说道:"先生所言极是,以后朕不写了。今天就请先生写一首诗,作为我大唐的开国之音吧。"虞世南听到唐太宗这么说,十分高兴,刚好这时外边传来知了的叫声,他就提笔写下了这首质朴明快的《蝉》:

chuí suí yǐn qīng lù　　liú xiǎng chū shū tóng
垂绥饮清露，流响出疏桐。

jū gāo shēng zì yuǎn　　fēi shì jiè qiū fēng
居高声自远，非是藉秋风。

对应古诗

《夜雨寄北》

唐·李商隐

jūn wèn guī qī wèi yǒu qī　　bā shān yè yǔ zhǎng qiū chí
君问归期未有期，巴山夜雨涨秋池。

hé dāng gòng jiǎn xī chuāng zhú　　què huà bā shān yè yǔ shí
何当共剪西窗烛，却话巴山夜雨时。

wǔ wēi
五微

原 文

lái duì wǎng　mì duì xī　yàn wǔ duì yīng fēi　fēng qīng duì yuè
来对往，密对稀，燕舞对莺飞。风清对月

lǎng　lù zhòng duì yān wēi　shuāng jú shòu　yǔ méi féi　kè lù duì yú
朗，露重对烟微。霜菊瘦，雨梅肥，客路对渔

jī　wǎn xiá shū　jǐn xiù　zhāo lù zhuì　zhū jī　xià shǔ kè sī yǐ
矶①。晚霞舒②锦绣，朝露缀③珠玑。夏暑客思欹④

shí zhěn　qiū hán fù niàn jì biān yī　chūn shuǐ cái shēn　qīng cǎo àn biān
石枕，秋寒妇念寄边衣⑤。春水才深，青草岸边

yú fù qù　xī yáng bàn luò　lǜ suō yuán shàng mù tóng guī
渔父去；夕阳半落，绿莎⑥原上牧童归。

释 义

①矶：水边突出的岩石或石滩。

②舒：伸展。

③缀：点缀，装饰。

④欹：斜倚。

⑤边衣：戍边或征边战士的衣服。

⑥绿莎：莎草，一种多年生草本植物，多生在潮湿地区或河边沙

地上。

译 文

　　来和往相对，浓密和稀疏相对，燕舞和莺飞相对。清爽的风儿和明朗的月亮相对，浓重的露水和轻微的烟雾相对。被霜打过的菊花柔弱，雨后的梅子饱满，异乡的道路和水边的石头相对。夕阳西下，天边霞光发亮，如在云彩间编织了万重锦绣，早晨的露珠似珠子的形状。夏日炎热，行人想要斜靠着石头休息；秋天寒冷，妻子想着给驻守边疆的丈夫寄去棉衣。春天河水才刚刚解冻，渔翁就驾着小船离开长满青草的河岸向远方驶去了；傍晚夕阳渐渐下落，牧童赶着牛羊从长满莎草的原野上归来。

故 事

王维与重阳节

　　王维是唐朝的大诗人。在他十七岁那年，他决定上京去考状元。父母为他准备好了行李，兄弟、朋友听说之后纷纷赶来为王维送行。在一片祝福声中，王维踏上了通往京城赶考的道路。

　　王维经历了千辛万苦，终于来到了京城。他找到了一间安静的客栈住下来，每天都在那里安心学习，也无暇去欣赏京城的美丽景色。每当他看到别人与朋友齐聚，在树下饮酒作诗的时候，王维都感觉到自己十分孤单，于是便愈发

思念家中的亲人和朋友了。

一晃，九九重阳节到了。王维想："在家乡的时候，每逢九九重阳节，朋友们便相约到高高的山上玩耍，而今年朋友们中却唯独少了我一人。"想毕，王维就放下了书本，登上了京城的高处，眺望远方的家乡，写下了《九月九日忆山东兄弟》这首诗：

dú zài yì xiāng wéi yì kè　　měi féng jiā jié bèi sī qīn
独在异乡为异客，每逢佳节倍思亲。

yáo zhī xiōng dì dēng gāo chù　　biàn chā zhū yú shǎo yì rén
遥知兄弟登高处，遍插茱萸少一人。

识字学成语

精	会	神		好		骛	远		一	无	二

原文

kuān duì měng　　shì duì fēi　　fú měi duì shèng féi　　shān hú duì dài
宽对猛，是对非，服美对乘①肥。珊瑚对玳

mào　　　jǐn xiù duì zhū jī　　táo zhuó zhuó　　liǔ yī yī　　lù àn duì
瑁②，锦绣对珠玑。桃灼灼③，柳依依④，绿暗对

hóng xī　　chuāng qián yīng bìng yǔ　　lián wài yàn shuāng fēi　　hàn zhì tài píng
红稀。窗前莺并语，帘外燕双飞。汉致太平

sān chǐ jiàn　　zhōu zhēn dà dìng yì róng yī　　yín chéng shǎng yuè zhī shī
三尺剑，周臻大定一戎衣。吟成赏月之诗，

zhǐ chóu yuè duò　　zhēn mǎn sòng chūn zhī jiǔ　　wéi hàn chūn guī
只愁月堕；斟满送春之酒，惟憾春归。

释义

①乘：古代称四匹马拉的车一辆为一乘，此处指马。

②玳瑁：海中动物，形似龟，甲壳光滑，有褐色和淡黄色相间
的花纹。其甲壳可以做装饰品，亦可入药。

③灼灼：鲜亮的样子。

④依依：形容柳枝随风摆。

译文

宽容与严厉相对，正确与错误相对。衣服华丽与马匹肥壮相对。珊瑚与玳瑁相对，锦绣与珠玑相对。桃花鲜艳并繁盛，柳枝细长且缠绵，深暗的绿色与稀淡的红色相对。窗前黄莺两两相和不停地鸣唱，帘外的燕子成双成对地追逐飞舞。汉高祖刘邦一统天下离不开三尺宝剑，周武王取得太平靠的是一袭戎衣。写下赏月的诗篇，只怕月亮转眼即落；倒满赏花颂春的美酒，只可惜春天即将过去。

故事

白头翁归乡
bái tóu wēng guī xiāng

贺知章，在公元六九五年到都城长安考
hè zhī zhāng，zài gōng yuán liù jiǔ wǔ nián dào dū chéng cháng ān kǎo

进士，从此为官京城。他的诗、书法都很著名。
jìn shì，cóng cǐ wéi guān jīng chéng。tā de shī、shū fǎ dōu hěn zhù míng

天宝三年，贺知章已八十多岁了，在长
tiān bǎo sān nián，hè zhī zhāng yǐ bā shí duō suì le，zài cháng

安当官将近五十年。这年正月，贺知章向
ān dāng guān jiāng jìn wǔ shí nián。zhè nián zhēng yuè，hè zhī zhāng xiàng

唐玄宗要求返回山阴家乡当道士，唐玄宗同
táng xuán zōng yāo qiú fǎn huí shān yīn jiā xiāng dāng dào shi，táng xuán zōng tóng

意了。临行前，唐玄宗还设宴让百官赋诗为
yì le。lín xíng qián，táng xuán zōng hái shè yàn ràng bǎi guān fù shī wèi

贺知章送行。在这个饯行宴会上，很多著名诗人都作了送别诗。当时著名的"诗仙"李白就曾写到："镜湖流水漾清波，狂客归舟逸兴多。"表现出了贺知章归乡之心切，兴致之高。

诗人回到家乡，山河依旧，却物是人非。离开家乡五十年而今回家，诗人的心情自然是很激动了。但当他想到自己虽然乡音未改，但两鬓今已稀疏斑白，不免心中又升起一丝淡淡的苦愁。家乡的那些小孩子们根本不认识他，反而天真好客地问他是从哪里来的客人？诗人不禁悲从中来，写下了《回乡偶书》这首诗：

少小离家老大回，

乡音无改鬓毛衰。

52

ér tóng xiāng jiàn bú xiāng shí
儿童相见不相识，

xiào wèn kè cóng hé chù lái
笑问客从何处来。

识字学成语

退两难　咬牙　齿　春　大地

原文

声 对 色 ， 饱 对 饥 ， 虎 节① 对 龙 旗② 。 杨 花 对 桂 叶 ， 白 简③ 对 朱 衣④ 。 尨⑤ 也 吠 ， 燕 于 飞⑥ ， 荡 荡 对 巍 巍 。 春 暄⑦ 资 日 气 ， 秋 冷 借 霜 威 。 出 使 振 威 冯 奉 世 ， 治 民 异 等 尹 翁 归 。 燕⑧ 我 弟 兄 ， 载 咏 棣 棠 韡 韡⑨ ； 命 伊 将 帅 ， 为 歌 杨 柳 依 依 。

释义

①虎节：虎形的符节。节是古代使臣所持作为凭据和标志的信物。

②龙旗：绘有龙形图案的旗帜，古代王侯用作仪卫。

③白简：古代御史的奏章一般用白色书简书写，后来用以指弹劾的奏章。

④朱衣：唐代四、五品官穿朱红色的官服。

⑤尨：长毛狗。

⑥于飞：即飞，"于"是语助词。

⑦暄：温暖。

⑧燕：通"宴"。

⑨韡韡：形容花的鲜明美盛。

译 文

声音与颜色相对，饱食与饥饿相对，虎符与龙旗相对。杨树的花絮与桂树的叶子相对，白色的书简与红色的官服相对。狗在叫，燕双飞，江流浩荡与山势巍巍相对。春天暖和，依靠阳光的普照，深秋寒冷，借着冰霜的威力。冯奉世出使西域，使汉朝的声威大振四方；尹翁归治理百姓，按照等级制度进行赏罚。设宴款待兄弟，咏唱"棣棠铧铧"的诗句，祝福家庭团结友好；任命将帅出征，演唱"杨柳依依"的诗句，希望能够早日得胜归来。

故 事

王昌龄、高适、王之涣比诗

唐朝时，诗人王昌龄、高适、王之涣齐名，三人不分高下。同时，他们又是好朋友，经常一起饮酒作诗。一天天气寒冷，下着小雪，三位诗人来到旗亭，那些小有名气的歌妓奏起了各种乐器助兴，曲曲动听，都是当时最流行的歌曲。这时候，王昌龄说：

"我们三人各自拥有诗名，谁也不服谁，到底哪个人最好？每每争执不下而难以定夺，何不趁着这次聚会，暗地里观看那些歌妓的演唱，看她们所吟唱的诗是谁写的，谁最多，谁就是第一名，以此类推，你们意下如何？"其他二人都说可以。于是，他们三个人就一边喝酒一边听。

歌妓们唱的前三首歌，不是王昌龄的就是高适的。而王之涣自以为得名很久了，不料接连落空，心里不是滋味，赶忙站起来。

他边指着其中最美的歌妓边说："那位梳着双髻，云鬟像秋水的歌妓，她所唱的，一定是我的诗歌。"过了一阵，终于轮到她了。她轻展歌喉，声如黄莺，唱道："黄河远上白云间，一片孤城万仞山，羌笛何须怨杨柳，春风不度玉门关。"正是王之焕的诗。

至此，三个人一起哈哈大笑起来，又是一天的大醉。

识字学成语

载　载舞　一叶知　一筹莫

对应古诗

《金缕衣》

唐·杜秋娘

劝君莫惜金缕衣，劝君惜取少年时。
花开堪折直须折，莫待无花空折枝。

六鱼
liù yú

原文

wú duì yǒu　　shí duì xū　　zuò fù duì guān shū　　lǜ chuāng duì
无对有，实对虚，作赋对观书。绿窗对

zhū hù　　bǎo mǎ duì xiāng chē　　bó lè　mǎ　　hào rán lǘ　　yì yàn
朱户，宝马对香车。伯乐①马，浩然驴②，弋雁③

duì qiú yú　　fēn jīn qí bào shū　　fèng bì lìn xiàng rú　　zhì dì jīn shēng
对求鱼。分金齐鲍叔，奉璧蔺相如。掷地金声

sūn chuò fù　　huí wén　jǐn zì dòu tāo shū　　wèi yù yīn zōng　　xū mí kùn
孙绰赋，回文④锦字窦滔书。未遇殷宗，胥靡困

fù yán zhī zhù　　jì féng zhōu hòu　　tài gōng shě wèi shuǐ zhī yú
傅岩之筑；既逢周后，太公舍渭水之渔。

释义

①伯乐：春秋时秦国人，善于相马，后来比喻善于发现和选用
人才的人。

②浩然驴：相传唐代诗人孟浩然曾骑着驴冒雪寻找梅花，诗
兴因此而发。

③弋雁：用带有绳子的箭射雁。

④回文：古代一种正念和倒读都能成章的奇巧诗文。

译 文

　　无和有相对，实和虚相对，写赋与读书相对。绿色的窗与红色的门相对，珠宝装饰的好马和熏香的车子相对。伯乐擅长相马，孟浩然喜欢骑驴踏雪抒发诗情；用带有绳子的箭射雁与爬上树找鱼相对。能慷慨分金的是鲍叔牙，能完璧归赵的是蔺相如。晋代孙绰所写的《天台山赋》，是被称为落地能有金石声的好作品；秦州刺史窦滔因为宠妾，他的妻子就用丝绵织写了凄婉循环的回文诗，使他回心转意。在没有遇到殷高宗前，傅说还是傅岩地区的一个服役修城的犯人；在遇到周文王后，姜太公就不再在渭水边钓鱼隐居了。

故 事

崔护与"人面桃花"

　　唐代博陵名士崔护考进士落第，心情十分郁闷。清明节这天，他一个人来到城南踏青，看到一所庄宅，四周被桃花所环绕，景色很美。刚好崔护口渴了，就走到那家宅子门前，敲门希望能够得到点儿水。不一会儿，一个美丽的女子就打开了门。崔护一见这位貌美的女子，顿生爱慕之心，便问她芳龄几何。那位少女面颊绯红，低头不语。崔护无奈告辞而去，而那位少女送他出门，两眼脉脉含情，待崔护走远，才"如不胜情而入"，崔护也顾盼而归，俩人就这样一见钟情。

第二年清明节，崔护旧地重游，却见院墙如故而门已锁闭。不知日思夜想的"桃花姑娘"哪里去了？面

对春光如醉的美景和盛开的桃花，他怅然若失，便在门上题诗一首：

去年今日此门中，人面桃花相映红。

rén miàn bù zhī hé chù qù　　táo huā yī jiù xiào chūn fēng
人面不知何处去，桃花依旧笑春风。

yǐ hòu　　rén men biàn yǐ　　rén miàn táo huā　　lái xíng róng nǚ
以后，人们便以"人面桃花"来形容女

zǐ de měi mào　　huò yòng lái biǎo dá ài liàn de qíng sī
子的美貌，或用来表达爱恋的情思。

🍇 原 文

zhōng duì shǐ　　jí duì xú　　duǎn hè　duì huá jū　　liù cháo duì sān guó
终 对始，疾对徐，短褐①对华裾。六朝②对三国，

tiān lù duì shí qú　　qiān zì cè　　bā háng shū　　yǒu ruò　duì xiàng rú
天禄对石渠③。千字策④，八行书⑤，有若⑥对相如⑦。

huā cán wú xì dié　　zǎo mì yǒu qián yú　　luò yè wǔ fēng gāo fù xià
花残无戏蝶，藻密有潜鱼。落叶舞风高复下，

xiǎo hé fú shuǐ juǎn hái shū　　ài xiàn rén cháng　　gòng fú xuān ní
小荷浮水卷还舒。爱见人长，共服宣尼⑧

xiū jiǎ gài　　kǒng zhāng jǐ lìn　　shuí zhī ruǎn yù jìng fén chē
休假盖；恐彰己吝，谁知阮裕竟焚车。

🍇 释 义

①褐：粗布衣服。

②六朝：三国吴、东晋和南朝宋、齐、梁、陈相继建都于建康（今南京），史称六朝。三国：即东汉末年三足鼎立的魏、蜀、吴三国。

③天禄对石渠：天禄、石渠均为阁名，是西汉皇家藏书、校书

之所。

　　④千字策：指科举考试规则。

　　⑤八行书：古代信笺每页八行，因而用作书信的代称。

　　⑥有若：孔子的弟子。

　　⑦相如：人名，战国时赵国大夫蔺相如，又一说为东汉时文学家司马相如。

　　⑧宣尼：即孔子。汉代追谥孔子为"褒成宣尼公"，后世称孔子为"宣尼"或"尼父"。

译 文

　　结束与开始相对，快速与缓慢相对，粗布短衣与华丽的长裙相对。六朝与三国相对，天禄阁与石渠阁相对。宋代用来殿试的"千字策"与古代每页八行的"八行书"相对，孔子的弟子有若与战国时赵国的蔺相如相对。凋零的花朵上不再有蝴蝶飞舞，藻类茂密的河塘，鱼也会很多。落叶随风忽上忽下地飘舞，水面的荷叶有时卷起，有时舒展。与人交往，孔子喜欢推用别人的长处，避开他人的缺陷，所以他不愿向贫困的子夏借遮雨的车盖；晋朝人阮裕，因为不愿别人说自己吝啬，就把邻居不敢向他借用的华丽马车烧了。

故 事

李白和崔颢
lǐ bái hé cuī hào

据说黄鹤楼建成后，吸引了大量的文
jù shuō huáng hè lóu jiàn chéng hòu xī yǐn le dà liàng de wén

人墨客前来吟诗作赋。相传有一年，诗人崔
rén mò kè qián lái yín shī zuò fù xiāng chuán yǒu yì nián shī rén cuī

颢慕名来到黄鹤楼，他游览后即兴赋了一首诗：

昔人已乘黄鹤去，此地空余黄鹤楼。

黄鹤一去不复返，白云千载空悠悠。

晴川历历汉阳树，芳草萋萋鹦鹉洲。

日暮乡关何处是，烟波江上使人愁。

这首诗意境美妙，是描写黄鹤楼的一首不可多得的好诗。

可是由于唐代著名诗人很多，崔颢名气不大，因此，诗虽好，却没有人赏识。

又一年，诗仙李白来到黄鹤楼，当地老百姓见诗仙来到

zhè ge dì fang　　dōu shí fēn gāo xìng　　fēn fēn yāo qiú lǐ bái wèi huáng
这个地方，都十分高兴，纷纷要求李白为黄

hè lóu xiě yì shǒu shī　　lǐ bái jiàn fēng jǐng yōu měi　　yú shì shī xìng
鹤楼写一首诗。李白见风景优美，于是诗兴

dà fā　　tóng yì xiě shī　　lǐ bái bǎo zhàn nóng mò tí bǐ yù xiě
大发，同意写诗。李白饱蘸浓墨提笔欲写

shí　　yì tái tóu　　kàn dào qiáng shàng cuī hào de shī　　tā dāng chǎng
时，一抬头，看到墙上崔颢的诗，他当场

lèng zhù　　suí jí lián lián chēng zàn　　hǎo shī　　hǎo shī
愣住，随即连连称赞："好诗！好诗！"

jiē zhe　　cháng tàn yì shēng　　gē bǐ bù xiě　　wéi guān de rén men bù
接着，长叹一声，搁笔不写。围观的人们不

zhī hé gù　　fēn fēn xún wèn wèi shén me　　zhǐ jiàn lǐ bái tàn le kǒu
知何故，纷纷询问为什么。只见李白叹了口

qì　　yín chū yì shǒu dǎ yóu shī
气，吟出一首打油诗：

yì quán dǎ suì huáng hè lóu　　yì jiǎo tī fān yīng wǔ zhōu
一拳打碎黄鹤楼，一脚踢翻鹦鹉洲。

yǎn qián yǒu jǐng dào bù dé　　cuī hào tí shī zài shàng tóu
眼前有景道不得，崔颢题诗在上头！

yín bà　　gē bǐ ér qù　　yóu yú lǐ bái de tuī chóng　　fǎn
吟罢，搁笔而去。由于李白的推崇，反

ér shǐ dé cuī hào de shī biàn de chū míng le qǐ lái　　huáng hè lóu yě
而使得崔颢的诗变得出名了起来，黄鹤楼也

suí zhe cuī hào de shī míng chuán biàn sì fāng
随着崔颢的诗名传遍四方。

识字学成语

无病呻　　音绕梁　　狗急跳

原 文

lín duì fèng　biē duì yú　nèi shǐ duì zhōng shū　lí chú
麟对凤①，鳖②对鱼，内史对中书③。犁锄

duì lěi sì④　quǎn huì⑤ duì jiāo xū⑥　xī jiǎo dài　xiàng yá shū　sì
对耒耜④，畎浍⑤对郊墟⑥。犀角带，象牙梳，驷

mǎ⑦ duì ān chē⑧　qīng yī néng bào shè　huáng ěr jiě chuán shū　tíng
马⑦对安车⑧。青衣能报赦，黄耳解传书。庭

pàn yǒu rén chí duǎn jiàn　mén qián wú kè yè cháng jū　bō làng pāi
畔有人持短剑，门前无客曳长裾。波浪拍

chuán　hài zhōu rén zhī shuǐ sù　fēng luán rào shè　lè yǐn zhě zhī
船，骇舟人之水宿；峰峦绕舍，乐隐者之

shān jū
山居。

释 义

①麟对凤：麟、凤即麒麟和凤凰，是中国古代传说的神兽、神
鸟名，在民俗中被视为吉祥的象征。

②鳖：又称甲鱼、团鱼，是生活在水中的爬行动物，形状像
龟，背上有软甲。

③内史对中书：内史、中书均为古代官名，内史主要掌管著作、
典册、政令等；中书即中书令，权位与宰相并重。

④耒耜：古代一种像梨的农具，也做农具的统称。

⑤畎浍：田间的水沟。

⑥郊墟：郊野。

⑦驷马:同拉一辆车的四匹马。

⑧安车:古代由一匹马所拉的可以安坐的小车。

译 文

　　麒麟与凤凰相对，鳌与鱼相对，内史官与中书官相对。犁、锄与耒耜相对，田间水沟与郊外的废墟相对。用犀牛角做的衣带与用象牙做成的梳子相对，由四匹马拉的车与由一匹马拉的车相对。青衣人能传报赦免消息，陆机的"黄耳"狗能帮他传送家信。秦庭有手持匕首的刺客，刘濞门前没有来依附的门客。波浪拍船，惊吓了船上留宿的人；村子周围峰峦环绕，令隐居人很喜欢。

故 事

桃花潭水深千尺

　　李白斗酒诗百篇，一生好游名山。当年，有一位名叫汪伦的人，写信给李白，邀他去泾县(今安徽皖南地区)游玩，信上热情洋溢地写道："先生好游乎？此地有十里桃花；先生好饮乎？此地有万家酒店。"看完

汪伦的信，李白欣然而往。

李白见汪伦乃泾川豪士，为人热情好客，倜傥不羁，就问他桃花和酒家在哪儿？

汪伦道："桃花者，潭水名也，并无桃花；万家者，店主人姓万也，并无万家酒店。"

引得李白大笑。李白在这儿呆了数日要离去，临行时，写下《赠汪伦》这首诗：

李白乘舟将欲行，忽闻岸上踏歌声。

桃花潭水深千尺，不及汪伦送我情。

显然，这首诗是李白即兴脱口吟出，历来为人传诵。而"桃花潭水深千尺，不及汪伦送我情。"这两句诗则感情真率自然。李白酒酣情浓，意态飞扬，举杯对脚下悠悠流

识字学成语

山大川　火朝天　哄堂大

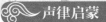

水说道："桃花潭水啊，别说您多么深了，可不及汪伦的友情深呢！"口头语，眼前景，自有一种天真自然之趣，隐隐使人看到大诗人豪放不羁的个性。

对应古诗

《解闷》

唐·杜甫

草阁柴扉星散居，浪翻江黑雨飞初。
山禽引子哺红果，溪友得钱留白鱼。

七虞
<small>qī yú</small>

🍁 原 文

金对玉，宝对珠，玉兔对金乌①。孤舟对
短棹②，一雁对双凫③。横醉眼，捻吟须④，
李白对杨朱⑤。秋霜多过雁，夜月有啼乌。日
暖园林花易赏，雪寒村舍酒难沽⑥。人处岭南⑦，
善探巨象口中齿；客居江右⑧，偶夺骊龙颔
下珠。

🍁 释 义

①金乌：指太阳，传说太阳中有三只脚的金乌。

②棹：船桨。

③凫：野鸭。

④捻吟须：一边用手指捻动着胡须，一边吟诗。

⑤杨朱：战国时期的哲学家。

⑥沽：买。

⑦岭南：中国南方的五岭以南的地区。

⑧江右：就是江西，长江以西。古代人习惯把长江下游的南岸
称为江东、江左，相对北岸就叫江西、江右。

译 文

黄金和宝玉相对，珍宝和珍珠相对，月亮和太阳相对。孤独的小舟和
短小的船桨相对，一只大雁和一对野鸭相对。陆游诗中有横醉眼，卢延让
诗中的捻吟须，唐朝大诗人李白与战国时的哲学家杨朱相对。秋天霜降
前，多有白雁飞过；有月的晚上，常有乌鸦啼叫。春暖日好时，随时可在
园子里看到鲜花绽放；寒冷的雪天，就很难在村舍里买到酒了。五岭以南
的人，善于得到巨象的牙齿；江右地区的人，能在黑龙熟睡时探得它下巴
处的明珠。

故 事

李商隐赋诗

李商隐是唐代著名的诗人。他和当时的
丞相令狐绹是旧时朋友。有一次，在令狐楚
去世后多年的某个重阳节，李商隐拜访令
狐绹，刚好令狐绹不在家。而在此之前，李

shāng yǐn céng duō cì xiàng shēn jū gāo wèi de líng hú táo chén sù jiù qíng
商隐曾多次向身居高位的令狐绹陈诉旧情,

xī wàng dé dào tí xié dōu zāo dào duì fāng de lěng yù gǎn kǎi zhī
希望得到提携,都遭到对方的冷遇。感慨之

yú jiù tí le yì shǒu shī zài líng hú táo jiā de tīng lǐ
余,就题了一首诗在令狐绹家的厅里:

céng gòng shān wēng bǎ jiǔ shí shuāng tiān bái jú rào jiē chí
曾共山翁把酒时,霜天白菊绕阶墀。

shí nián quán xià wú xiāo xī jiǔ rì zūn qián yǒu suǒ sī
十年泉下无消息,九日樽前有所思。

bù xué hàn chén zāi mù xū kōng jiào chǔ kè yǒng jiāng lí
不学汉臣栽苜蓿,空教楚客咏江蓠。

láng jūn guān guì shī xíng mǎ dōng gé wú yīn zài dé kuī
郎君官贵施行马,东阁无因再得窥。

zhè shǒu shī wěi wǎn
这首诗委婉

de fěng cì líng hú táo wàng
地讽刺令狐绹忘

jì jiù rì de yǒu qíng
记旧日的友情。

líng hú táo huí lái kàn dào
令狐绹回来看到

zhè shǒu shī xīn zhōng
这首诗,心中

gǎn dào jì cán kuì yòu chóu
感到既惭愧又惆

chàng yú shì biàn ràng rén
怅,于是便让人

jiāng zhè jiān tīng suǒ qǐ
将这间厅锁起

来，终生不开。后来还有人说，这首诗惹得令狐绹恼羞成怒，很想铲除题诗的墙壁，但是由于这首诗里出现了他父亲的名字——"楚"，按照当时的习俗，他不能毁掉诗作，就只好锁上门再也不开了，但他也为此更加嫉恨李商隐了。

🌸 原文

贤对圣，智对愚，傅①粉对施朱。名缰②对利锁，挈榼③对提壶。鸠哺子，燕调雏④，石帐⑤对郇厨。烟轻笼岸柳，风急撼庭梧。鸜眼一方端石砚⑥，龙涎⑦三炷博山炉。曲沼⑧鱼多，可使渔人结网；平田兔少，漫劳耕者守株。

释 义

①傅：涂抹。施;在物体上加某种东西。

②缰：牵牲口用的绳子。

③挈榼：提着酒器。

④调雏：调教幼鸟。

⑤石帐:《晋书》记载，西晋大臣石崇十分富有，居然用锦丝做成五十里的帐篷，奢华至极。

⑥鸲眼一方端石砚:位于广东省德庆县的端溪石砚，上面有像鸲鹆眼睛一样的东西，是我国的名砚。鸲鹆，俗名八哥。

⑦龙涎：香料的名字，产于古代的大食国。

⑧曲沼：弯曲的池塘。

译 文

　　贤德与崇高相对，聪明与愚蠢相对，涂白粉与抹胭脂相对。名声是束傅人的缰绳，利益是拘束人的枷锁，高举酒器与手提酒壶相对。鸠鸟喂养幼子，燕子训练幼雏。西晋石崇的锦丝帐与唐朝韦陟奢华的厨房相对。烟雾浓重，笼罩了两岸河柳；大风急骤，吹得院中梧桐树摆动。一方端州产的上有鸲鹆眼图案的石砚，三炷博山炉上的龙涎香。曲折迂回的池塘里鱼多，渔夫可以撒网捕鱼；平坦的田野里野兔很少，想守株待兔的农夫只能是白白等待了。

故 事

元稹和妻子的半缘情深

唐德宗贞元十八年（八〇二年），太子少保韦夏卿的小女儿——年芳二十的韦丛嫁给了二十四岁的诗人元稹。这时，元稹仅仅是秘书省校书郎，出身高门的韦丛并不势利贪婪，没有嫌弃元稹。相反，她勤俭持家，任劳任怨，和元稹的生活虽不宽裕，却也温馨甜蜜。可是造化弄人，韦丛二十七岁

的时候就因病去世

75

了，此时三十一岁的元稹已升任监察御史，幸福的生活就要开始，爱妻却驾鹤西去。诗人无比悲痛，写下了一系列的悼亡诗。最著名的一首就是：

曾经沧海难为水，除却巫山不是云。

取次花丛懒回顾，半缘修道半缘君。

经历过大海的波澜壮阔，就不会再被别处的水所吸引。陶醉过巫山云雨的梦幻，别处的风景就不能称之为云雨了。虽常在花丛里穿行，我却没有心思欣赏花朵，一半是因为自己已经修道，一半是因为心里只有你……这首诗用世间至大至美的形象来表达对亡妻的无限怀念，任何女子都不能取代韦丛。

识字学成语

<table>
<tr><td>□</td><td>言</td><td>蜜</td><td>语</td></tr>
</table>

<table>
<tr><td>□</td><td>影</td><td>不</td><td>离</td></tr>
</table>

<table>
<tr><td>□</td><td>而</td><td>待</td><td>之</td></tr>
</table>

原文

qín duì zhào　yuè duì wú　diào kè duì gēng fū　　jī qiú　duì zhàng
秦对赵，越对吴，钓客对耕夫。箕裘①对　杖

lǚ　　qǐ zǐ　duì sāng yú　　tiān yù xiǎo　　rì jiāng bū　　jiǎo
履②，杞梓③对桑榆④。天欲晓，日将晡⑤，狡

tù duì yāo hú　dú shū gān cì gǔ　zhǔ zhōu xī fén xū　hán xìn wǔ néng
兔对妖狐。读书甘刺股，煮粥惜焚须。韩信武能

píng sì hǎi　　zuǒ sī wén zú fù sān dōu　jiā dùn yōu rén　　shì zhì zhú lí
平四海，左思文足赋三都。嘉遁幽人⑥，适志竹篱

máoshè　shèng yóu gōng zǐ　wánqíng liǔ mò huā qú
茅舍；胜游公子，玩情柳陌花衢。

释义

①箕裘：箕,簸箕。裘,这里指继承父业。

②杖履:手杖和鞋子。古人都是席地而坐，老人们外出，晚辈要为其持杖穿鞋，因此常用杖履来表示尊敬老人的意思。

③杞梓：杞和梓是两种优质的木材，这里用来比喻优秀的人才。

④桑榆，指日落的时候。通常比喻人的晚年。

⑤晡：旧时指申时（下午3点到5点），这里引申为黄昏。

⑥幽人：隐居之人，隐士。

译 文

　　秦国与赵国相对，越国和吴国相对，钓鱼的人和耕田的人相对。继承父业与尊敬老人相对，少年壮志与暮年老迈相对。黎明破晓，日落时分，狡猾的兔子与阴险的狐狸相对。苏秦读书，有尖锥刺股的决心；李勣煮粥，不怕火苗烧掉自己的胡须。韩信有很强的将帅之才，足够平定天下，左思文才超群，才能写出令"洛阳纸贵"的《三都赋》。适时隐退的人，喜欢过着竹篱茅舍的简陋生活；喜欢游玩的公子们，整天在花街柳巷中游乐。

故 事

骆宾王咏鹅

骆宾王七岁时，有一天，父亲的老朋友到他们家做客。父亲的老朋友是个小有名气的诗人，他听说骆宾王小小年纪诗文已经做得很不错，就很喜欢他，便领着他出去玩，也想趁此机会试试他的才华，看看他是否真的如人们传说的那样有才华。

他们两个人沿着乡间的小路一边交谈一边往前走，不知不觉间来到一个池塘边。池塘里一群白鹅正在水中游来游去，碧绿的池水被鹅搅起层层涟漪。远处是一片原野。站在池塘边，看着这一切，简直像一幅绝妙的风景画。诗人看着看着，忽然灵机一动，心中便有了个想法。于是，他叫来骆宾王，让他以水中的鹅为题作一首诗。

骆宾王此时也正在欣赏眼前的景色。当他听到这位伯伯叫自己作诗，便知道这位伯伯是想借此机会考考自己。于是，一首《咏鹅》脱口而出：

鹅，鹅，鹅，曲项向天歌。

白毛浮绿水，红掌拨清波。

这位诗人听后，连声叫好，他暗想，人称骆宾王为神童，确不为过。而这首诗随之也成为千古流传的诗歌。诗人以清新欢快的语言，抓住鹅的突出特征来进行描写，写得自然、真切、传神。

对应古诗

《八阵图》

唐·杜甫

功盖三分国，名成八阵图。

江流石不转，遗恨失吞吴。

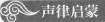
bā qí
八齐

原 文

　　yán duì xiù 　　　jiàn duì xī 　　yuǎn àn duì wēi dī 　　　hè cháng duì
　　岩 对 岫①，涧 对 溪，远 岸 对 危 堤。鹤 长 对

fú duǎn 　　　shuǐ yàn duì shān jī 　　xīng gǒng běi 　　yuè liú xī 　　hàn lù 　　duì
凫 短②，水 雁 对 山 鸡。星 拱 北，月 流 西，汉 露③对

tāng ní 　　　táo lín niú yǐ fàng 　　　yú bǎn 　　mǎ cháng sī 　　shū zhí qù
汤 霓④。桃 林 牛 已 放⑤，虞 坂⑥马 长 嘶。叔 侄 去

guān wén guǎng shòu 　　　dì xiōng ràng guó yǒu yí qí 　　　sān yuè chūn nóng
官 闻 广 受，弟 兄 让 国 有 夷 齐。三 月 春 浓，

sháo yào cóng zhōng hú dié wǔ 　　　wǔ gēng tiān xiǎo 　　hǎi táng zhī shàng zǐ
芍 药 丛 中 蝴 蝶 舞；五 更 天 晓，海 棠 枝 上 子

guī tí
规 啼。

释 义

①岫：山洞。

②鹤长对凫短：鹤的脚长与野鸭的脚短相对。

③汉露：传说汉武帝为了长生不老，制造金茎玉盘承接甘露

服用。

④霓：雨后和彩虹同时出现的一种光的现象。

⑤桃林牛已放：传说周武王伐纣以后，把马匹都放于华山南面，牛群置于桃林之野，以此来示意天下太平了。

⑥虞坂：虞坂位于今天的陕西省平陆县。

译 文

岩石和山洞相对，山涧和小溪相对，远处的河岸与高高的堤坝相对。长腿的鹤与短腿的鸭子相对，水雁和山鸡相对。众星环绕着北斗星，月亮向西方落下，汉武帝为了长生不老而造玉盘接露水，与人们像盼望甘霖一样热烈欢迎成汤相对。周武王把战马、牛羊放归桃林，以示天下太平；在虞坂被当作普通马受劳的千里马看到伯乐后开始长鸣。汉朝疏广、疏受叔侄两人，功成身退，一同辞官归隐；商朝的伯夷、叔齐两兄弟互相推让国君的位置。三月里，正是春暖花开时，芍药花丛中不时有蝴蝶飞舞；五更时，天刚破晓，海棠枝上有杜鹃鸣叫。

故 事

李白赋诗凤凰台

李白在游金陵凤凰台时，写下了《登金陵凤凰台》这首诗：

凤凰台上凤凰游，凤去台空江自流。

吴宫花草埋幽径，晋代衣冠成古丘。

三山半落青天外，二水中分白鹭洲。

总为浮云能蔽日，长安不见使人愁。

李白的这首诗成了历代传诵的名作。

凤凰台位于南京城南，相传南朝刘宋永嘉年间，有三只凤凰落此，当时就在此处修了凤凰台，山也从此得名。三国时吴国在南京建都，王宫内种满花草的园林现已成为荒凉的小路。晋代建都南京，但如今王公贵人都死去了，只留下一座座古坟。在凤凰台上遥望长江边上的三座山峰半隐在天外云雾中，秦淮河夹着江上的白鹭洲。奸臣们蒙蔽了皇帝，就像浮云遮住太阳一样，使我在凤凰台上望不见长安，使人多么忧愁。

zài zhè shǒu shī zhōng biǎo xiàn le shī rén duì guó jiā ān wēi de
在这首诗中，表现了诗人对国家安危的

wú xiàn guān xīn guǒ rán zuì zhōng táng cháo zhōng qī bào fā le ān
无限关心。果然，最终唐朝中期爆发了安

shǐ zhī luàn shǐ táng cháo cóng xīng shèng zǒu xiàng shuāi luò
史之乱，使唐朝从兴盛走向衰落。

识字学成语

辕北辙　一　无际　随遇而

原文

yún duì yǔ　　shuǐ duì ní　　bái bì duì xuán guī　　xiàn guā
云对雨，水对泥，白璧对玄圭①。献瓜②

duì tóu lǐ　　jìn gǔ　　duì zhēng pí　　xú zhì tà　　lǔ bān
对投李③，禁鼓④对征鼙④。徐稚榻，鲁班

tī　　fèng zhù　　duì luán qī　　yǒu guān qīng sì shuǐ　　wú kè zuì rú
梯⑥，凤翥⑦对鸾栖，有官清似水，无客醉如

ní　　jié fà wéi wén táo kǎn mǔ　　duàn jī zhǐ yǒu yuè yáng qī　　qiū wàng
泥。截发惟闻陶侃母，断机只有乐羊妻。秋望

jiā rén　　mù sòng lóu tóu qiān lǐ yàn　　zǎo xíng yuǎn kè　　mèng jīng zhěn
佳人，目送楼头千里雁；早行远客，梦惊枕

shang wǔ gēng jī
上五更鸡。

释 义

①玄圭：黑色的玉器。玄，黑色。圭，古代帝王诸侯举行礼仪时所用的玉器，上面尖下面方。

②献瓜：唐德宗时期，有人曾经因为献瓜而得到了官位。

③投李：《诗经》中有"投我以木李，报之以琼玖"的句子。

④禁鼓：宫禁中的更鼓。

⑤征鼙：古代军队出征时的战鼓。

⑥鲁班梯：鲁班是春秋时期的能工巧匠，楚国攻打赵国的时候他曾经打造云梯助战。

⑦翥：鸟向上飞。

译 文

云和雨相对，水和泥相对，白色的璧和黑色的玉相对。献上木瓜与回送李子相对，宫廷里晚上禁止通行的鼓与军队出征时的鼓相对。豫章太守陈蕃专为徐稚设置的床榻与鲁班为楚国制造的云梯相对，凤鸟飞翔与鸾鸟栖息相对。做官时清廉似水，没有客人时烂醉如泥。晋朝陶侃的母亲为了招待客人范逵，便把头发剪下来换得酒菜；东汉乐羊子的妻子用剪断织机上的布来劝导丈夫完成学业。秋天在高楼上远望的女子，目送大雁飞去；准备早起远行的客人，五更天被鸡鸣从梦中惊醒。

故事

我辈岂是蓬蒿人

天宝元年（公元七四二年），李白与道士吴筠共同隐居在浙江的剡中，并结识了当时出家为道姑的唐玄宗的妹妹玉真公主。吴筠和玉真公主都非常赏识李白的诗才，玉真公主多次在哥哥面前夸耀李白文章写得好，于是唐玄宗下诏书召李白入京，在他身边做事。李白非常兴奋，自认为施展自己政治抱负的时机来了。在南陵（安徽省南陵县）与家中妻儿告别时，写下了这首《南陵别儿童入京》：

白酒新熟山中归，黄鸡啄黍秋正肥。

hū tóng pēng jī zhuó bái jiǔ　　ér nǚ xī xiào qiān rén yī
呼童烹鸡酌白酒，儿女嬉笑牵人衣。

gāo gē qǔ zuì yù zì wèi　　qǐ wǔ luò rì zhēng guāng huī
高歌取醉欲自慰，起舞落日争光辉。

yóu shuì wàn shèng kǔ bù zǎo　　zhù biān kuà mǎ shè yuǎn dào
游说万乘苦不早，著鞭跨马涉远道。

kuài jī yú fù qīng mǎi chén　　yú yì cí jiā xī rù qín
会稽愚妇轻买臣，余亦辞家西入秦。

yǎng tiān dà xiào chū mén qù　　wǒ bèi qǐ shì péng hāo rén
仰天大笑出门去，我辈岂是蓬蒿人。

shī de dà yì shì　　wǒ gāng cóng shān zhōng huí lái　　zhī dào jiā
诗的大意是：我刚从山中回来，知道家

xiāng yòu niàng chū le xīn jiǔ　　zhèng zài zhuó shí de huáng jī zhǎng de duō
乡又酿出了新酒，正在啄食的黄鸡长得多

féi a　　jiào hái zi men shā jī
肥啊，叫孩子们杀鸡

pēng shú le zài bèi shàng xīn niàng
烹熟了再备上新酿

de jiǔ　　ér nǚ men gāo xìng de
的酒，儿女们高兴地

qiān zhe wǒ de yī shang biān chàng
牵着我的衣裳边唱

biān tiào　　jiǔ xìng zhèng nóng biàn
边跳。酒兴正浓便

qǐ shēn wǔ jiàn　　jiàn guāng yǔ
起身舞剑，剑光与

luò rì zhēng huī　　zhǐ yuàn wǒ
落日争辉。只怨我

bèi huáng dì fā xiàn de tài wǎn
被皇帝发现得太晚

了，如今我就要跨马扬鞭远道而行了。朱买
臣的愚妻嫌家贫而离开了他，我是告别家乡
西去长安。出门前我仰天大笑。我李白岂是
在草野上默默无闻过上一辈子的人？

识字学成语

夸 其 谈　不可失　公移山

原文

熊对虎，象对犀，霹雳①对虹霓。杜鹃对
孔雀，桂岭对梅溪。萧史凤②，宋宗鸡③，远
近对高低。水寒鱼不跃，林茂鸟频栖，杨柳和
烟彭泽县④，桃花流水武陵溪⑤。公子追欢，
闲骤玉璁⑥游绮陌⑦，佳人倦绣，闷攲⑧珊枕掩
香闺。

释 义

①霹雳：云和地面之间发生的一种物理现象，能产生强烈的雷电，也叫落雷。

②萧史凤：《列仙传》记载，秦穆公的女儿弄玉与丈夫萧史一起吹箫，引来了天上的凤凰，两人也成仙飞到了天上。

③宋宗鸡：《幽明录》记载，晋朝衮州刺史宋处宗经常和一只鸡交谈，此鸡说人语，很有玄机，使宋处宗功业大进。

④"杨柳"句：晋朝文学家陶渊明曾经任彭泽县令，后辞官归隐，在门前种了五棵树，人称五柳先生。

⑤"桃花"句：桃花流水是陶渊明在桃花源记中描述的美丽景象。武陵溪就是武陵源，就是桃花源记中的桃花源。

⑥骢：毛色黑白相间的马。玉骢，指的是白马。

⑦绮陌：绮，本意是指有花纹或者图案的丝织品。陌，本意指的是道路。绮陌比喻繁华的道路。

⑧欹：倾斜，这里指斜倚。

译 文

熊和虎相对，大象和犀牛相对，响雷与虹霓相对。杜鹃与孔雀相对，长满桂树的山岭和岸边种有梅花的小溪相对。春秋时期秦国的萧史吹箫能把凤凰引来，晋朝的兖州刺史宋处宗则有一只会说话的鸡，远近和高低相对。河水寒冷时鱼不往出跳跃，茂盛的树林里有很多鸟儿栖息。烟雾缭绕、杨柳依依的是彭泽县，桃花盛开、流水潺潺的是武陵人发现的世外桃源。公子们寻欢作乐，骑着白马在柳陌花巷游玩；绣花的女子倦了，关上闺门，倚在珊瑚枕上休息。

故 事

老僧续诗
lǎo sēng xù shī

杭州的灵隐寺，规模宏大，是我国佛教禅宗十刹之一。

一年秋天，在南方做官的唐朝诗人宋之问回京时，路过此地，就在离灵隐寺不远的地方下榻。

这天晚上，明月当空，秋高气爽，宋之问兴致很高，来到灵隐寺观赏这里的月色，见

月色如霜，不由得诗兴大发，脱口吟道：

"鹫岭郁岩峣，龙宫锁寂寥……"

刚吟完这两句，宋之问一时不知应该怎

样往下续，就在寺院的长廊上踱步。

这时，有一位老僧正要捻灯坐禅，见宋

之问那副模样，就迎上前来，深施一礼，问

道："施主，莫非有什么为难之事，也不知

老僧能不能帮得上忙？"

宋之问见了，还礼说："承蒙师傅垂

问，在下想以佛寺为题写一首诗，但才吟两

句就接不下去了。"

老僧听完，捻须一笑，说："施主不妨

说来听听，老衲或许能助施主一臂之力。"

宋之问惊喜地问："师傅也能作诗？"

老僧说："不敢，试试而已。"

于是，宋之问把前两句一说，老僧闭目

捻了几下念珠，开口说："何不续'楼观沧

海日，门对浙江潮'？"

宋之问一琢磨，确是好句，不由得脱口

叫绝。

识字学成语

兴※采烈　大模大※　※头丧气

对应古诗

《台城》

唐·韦庄

江雨霏霏江草齐，六朝如梦鸟空啼。

无情最是台城柳，依旧烟笼十里堤。

九佳
jiǔ jiā

原 文

河对海，汉对淮，赤岸对朱崖。鹭飞对鱼
跃，宝钿①对金钗。鱼圉圉②，鸟喈喈③，草
履对芒鞋④。古贤崇笃厚⑤，时背喜诙谐⑥。孟
训文公谈性善，颜师孔子问心斋。缓抚琴弦，
像流莺而并语；斜排筝柱，类过雁之相挨。

释 义

①钿:花朵形的装饰品，全部用金片做成。

②圉圉: 困倦不舒展的样子。

③喈喈: 鸟儿和谐地鸣叫。

④芒鞋: 用芒草做的鞋子。芒，多年生草本植物。

⑤笃厚: 忠实、厚道。

⑥诙谐: 说话幽默风趣，逗人发笑。

译 文

　　黄河对应大海，汉江对应淮河，红色的河岸对应红色的山崖。白鹭高飞与鱼儿跃水相对应，嵌有珠宝的花钿对应金子制成的发钗。鱼缓缓地游动，鸟嗜嗜地鸣叫，草鞋对芒鞋。古代的圣贤们推崇忠厚之道，而现在的人们喜欢侃侃而谈。孟子教导滕文公"人性本善"的道理，颜回向孔子请教关于"心斋"的问题。缓缓地抚弄琴弦，琴声像成双成对的黄莺在相和鸣唱；筝柱错落着斜排，样子就像大雁飞行时排成的队伍。

故 事

王勃作诗打腹稿

　　初唐著名的文学家王勃，据说写文章往往不打草稿，也从不苦思冥想，而是先磨好墨，备好纸，有时还喝一点酒，然后蒙头大睡，等醒来马上跳下床，拿起笔，一口气就写成了，可以不改动一个字。当时人们说，王勃蒙头而睡的时候，其实并没有真睡，而是在构思，在肚子里起草稿。

传说王勃十四岁就已经开始做官，由于年轻有才，相当自傲，因而屡遭贬斥。公元六六九年，作者漂泊到蜀州，因性情孤傲，仕途多变，所以心情十分忧闷。一次，诗人客居蜀中已近三年，临江而望，思乡之心倍切。长江川流不息，涛涛东去。可作者心情烦闷，犹嫌江水奔流太慢，不能冲散心中的愁绪。他在这万里之外的地方，多么想回到家乡去，却难成心愿。如今秋风萧索，风吹落叶，此情此景更引发诗人无限凄凉的情思，于是便写出了《山中》一诗以寄幽思：

声律启蒙

cháng jiāng bēi yǐ zhì　　wàn lǐ niàn jiāng guī
长 江 悲 已 滞，万 里 念 将 归。

kuàng shǔ gāo fēng wǎn　　shān shān huáng yè fēi
况 属 高 风 晚，山 山 黄 叶 飞。

识字学成语

□来想去　不停蹄□　□三道四

原 文

fēng duì jiǎn　děng duì chā　bù ǎo duì jīng chāi　yàn háng duì
丰 对 俭，等 对 差，布 袄 对 荆 钗①。雁 行 对

yú zhèn　　yú sài　duì lán yá　tiāo jì nǚ　cǎi lián wá　jú jìng
鱼 阵，榆 塞②对 兰 崖。挑 荠 女，采 莲 娃，菊 径

duì tái jiē　shī chéng liù yì bèi　　yuè zòu bā yīn xié
对 苔 阶。诗 成 六 义 备③，乐 奏 八 音 谐④。

zào lǜ lì āi qín fǎ kù　zhī yīn rén　shuō zhèng shēng wā
造 律 吏 哀 秦 法 酷⑤，知 音 人⑥说 郑 声⑦哇⑧。

tiān yù fēi shuāng　sāi shàng yǒu hóng háng yǐ guò　yún jiāng zuò yǔ　tíng
天 欲 飞 霜，塞 上 有 鸿 行 已 过；云 将 作 雨，庭

qián duō yǐ zhèn xiān pái
前 多 蚁 阵 先 排。

释 义

①荆钗：用荆条制成的发钗，古代贫穷女子用的。

97

②榆塞：本指榆溪塞，在黄河河套地区，这里也做边塞的通称。塞，可作为屏障的地势险要的地方。

③诗成六义备：《诗经》按内容可分为风、雅、颂，按表现手法可分为赋、比、兴，这些称为《诗经》"六义"。

④乐奏八音谐：古代的乐器用金、石、丝、竹、匏、土、革、木八种材料制成。

⑤"造律"句：汉高祖刘邦入咸阳的时候，感叹秦朝的律法太过残酷了，就与关中的父老约法三章，然后命令萧何重新制定律法。造，制定。

⑥知音人：懂得音乐的人。

⑦郑声：指春秋时期郑国的俗乐。

⑧哇：靡曼的音乐，形容音乐声轻柔淫靡。

译文

丰足对应节俭，等同对应参差；粗布做的棉袄对应着荆木制的发钗。列成行的大雁对应结成群的游鱼，种着榆树的关塞与长满兰草的山崖相对应。挖荠菜的少女，采莲蓬的姑娘；开着菊花的小路对应长满苔藓的台阶。《诗经》编成，"六义"齐备；雅乐奏响，八音和谐。制定法律的官吏哀叹秦朝的刑法严酷，懂得音律的人都认为郑国的音乐淫靡。天即将降霜，边塞上已经有大雁成行飞过；乌云集聚，将要下雨，庭院里有许多蚂蚁成群结队爬过。

故 事

夫妻得团聚，全凭一首诗

前秦苻坚时，法门寺地区秦州城出了位女诗人苏蕙，她创作的回文诗（璇玑图）影响深远。

苏蕙出身诗书世家，仪容秀丽，谦默自守。在十六岁的时候，嫁给了秦州刺史窦滔。窦滔英俊潇洒，能文能武，政绩显著。窦滔十分喜爱苏蕙。他们居住在秦州城西刺史官宅内，两个人十分恩爱，过着幸福美满的生活。

没想到天有不测风云，不幸突然降临：有人诬陷窦滔"与东晋藕断丝连"，对前秦皇帝苻坚"怀有二心"。苻坚闻言大怒，想也不想，便传下圣旨：贬窦滔为庶人，发配边疆沙州（今敦煌）服苦役；查抄家产充公。

窦滔发配之后，好长时间都没有音信，家中生活十分艰辛，苏蕙又日日夜夜思念丈夫，终日以泪洗面。她把对丈夫的思念之情写成回文诗，用五彩丝线织在锦帕上，在秦州城沿街叫卖。

秦州人争相购买回文锦帕，从此，回文诗广为流传。

前秦皇帝苻坚是秦州人，在秦州有许多亲戚和朋

友。因此，锦帕很快就传到了苻坚手中。他
看了十分感动，便传旨赦免窦滔，官复秦州
刺史。窦滔与苏蕙也因此得以团聚。

识字学成语

盖世雄 冲锋阵 代代相

原文

城对市，巷对街，破屋对空阶。桃枝
对桂叶，砌①蚓对墙蜗。梅可望②，橘堪
怀③，季路对高柴④。花藏沽⑤酒市，竹映读书
斋⑥。马首不容孤竹扣，车轮终就洛阳埋。朝
宰锦衣，贵束乌犀之带；宫人宝髻，宜簪白燕之
钗。

释 义

①砌：指代砌成的砖缝。

②梅可望：三国时期曹操率军出征，途径一片沙漠，士兵口渴无水。曹操说：前面就是一片梅林了，大家可走到那里吃梅子解渴。士兵听了，口中生津，终于渡过了沙漠区。

③橘堪怀：后汉时期，陆绩小的时候，去九江见袁术。袁术拿出橘子招待他，他揣到怀里三只橘子回家孝敬母亲。

④季路对高柴：季路和高柴都是孔子的弟子。

⑤沽：买。

⑥斋：屋子。常用作书房、商店的名称。书斋就是书房。

译 文

城镇与集市相对应，小巷与大街相对应，破败的房屋对应空寂的台阶。桃树枝对应桂树叶，台阶下的蚯蚓对应墙脚旁的蜗牛。曹操望梅止渴，陆绩藏橘在怀，孔子弟子季路对应高柴。鲜花开在卖酒的闹市，绿竹掩映着安静的书房。孤竹君的两个儿子拉住武王的马头劝阻他不要伐纣，东汉张纲悲愤外戚专政，最终还是将车轮埋在洛阳亭。大臣衣着华贵，腰间束着用黑犀牛角装饰的腰带；宫女发髻高耸，头上插着传说中珍贵的白燕钗。

故事

司马相如休妻

司马相如是西汉时期很重要的一位文学家。他和卓文君的爱情故事，令人津津乐道。不过，据说当他在长安，被封为中郎将的时候，由于觉得自己身份不凡，曾经兴起过休妻的念头。

一天，他派人送给卓文君一封信，信上写着"一二三四五六七八九十百千万"十三个大字，并要卓文君立刻回信。

卓文君看了信，知道丈夫有意难为自己，十分伤心。想着自己如此深爱对方，对方竟然忘了昔日的美丽往事，于是提笔写道：

一别之后，二地相悬，只说是三四月，又谁知五六年，七弦琴无心弹，八行书无可传，九连环从中折断，十里长亭望眼欲穿，百思想，千系念，万般无奈把君怨。

万语千言说不完，百无聊赖十依栏，重九登高看孤雁，八月中秋月圆人不圆，七月半烧香秉烛问苍天，六月伏天人人摇扇我

心寒。五月石榴如火偏遇阵阵冷雨浇花端，四月枇杷未黄我欲对镜心意乱。忽匆匆，三月桃花随水转。飘零零，二月风筝线儿断。唉！郎呀郎，巴不得下世你为女来我为男。

司马相如收信后心中惊叹不已。夫人的才思敏捷和对自己的一往情深，都使他的心弦受到很大的震撼，于是很快打消了休妻的念头。

识字学成语

| 千 | 言 | 万 | | 一 | 见 | | 故 | | 惊 | | 不 | 已 |

对应古诗

《宿杨家》

唐·白居易

杨家兄弟俱醉卧，披衣独起下高斋。
夜深不语中庭立，月照藤花影上阶。

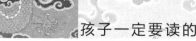
十灰
shí huī

原 文

增对损，闭对开，碧草对苍苔。书签对笔架，两曜①对三台②。周召虎，宋桓魋③，阆苑对蓬莱④。薰风⑤生殿阁，皓月照楼台。却马⑥汉文思罢献，吞蝗唐太冀移灾。照耀八荒，赫赫丽天秋日；震惊百里，轰轰出地春雷。

释 义

①两曜：日、月、星均称为曜，两曜指的是日、月。

②三台：星宿名。共有六星，在人为三公，在天为三台：上台司命、中台思爵、下台思禄。

③桓魋：春秋时期的宋国人。孔子巡游路过宋国时，他曾经想杀死孔子。

④阆苑对蓬莱：阆苑和蓬莱都是神话传说中神仙住的地方。

⑤薰风：和风，指初夏时的东南风。

⑥却马：汉文帝时有人进献千里马，汉文帝下诏退还，不准再献。却，推辞、拒绝的意思。

译 文

增加与损耗相对，关闭与开合相对，绿草与青苔相对。书签与笔架相对，日月与三台星宿相对。曾与周公共同摄政的召虎与想杀圣人孔子的桓魋相对，阆苑与蓬莱相对。殿阁中传出芬香之气，楼台上明月高照。汉文帝禁止别人向他进献千里马，希望它们能用在当用之处，唐太宗在花园里吞吃蝗虫，希望能够转移灾害，使老百姓不受蝗虫之灾。秋天日光融融照耀大地，春天响雷阵阵震惊百里。

故 事

苏蕙以诗挽夫心
sū huì yǐ shī wǎn fū xīn

前秦苻坚时，法门寺地区秦州城出了位女诗人苏蕙，她十六岁的时候嫁给了秦州刺史窦滔，后来窦滔因为他人诬陷被贬为庶人。他后来之所以脱险，完全因为苏蕙创作的回文诗。窦滔脱险之后，二人又过上了幸福恩爱的生活。

dàn shì　　　hǎo jǐng bù cháng　　méi jǐ nián　　dòu tāo què yòu yí
但是，好景不长，没几年，窦涛却又移

qíng yú chǒng jī zhào yáng tái　　zhè gè nǚ zǐ néng gē shàn wǔ　　měi lì
情于宠姬赵阳台。这个女子能歌善舞，美丽

dòng rén　　zì cóng rèn shi zhào yáng tái zhī hòu　　dòu tāo jīng cháng hé tā
动人。自从认识赵阳台之后，窦涛经常和她

zài bié de dì fang jū zhù　　zhěng tiān dōu bù huí jiā　　sū huì zhī dào
在别的地方居住，整天都不回家。苏蕙知道

cǐ shì hòu　　shí fēn fèn nù　　biàn dǎ le zhào yáng tái　　zhào yáng tái
此事后，十分愤怒，便打了赵阳台。赵阳台

duì cǐ huái hèn zài xīn　　zài dòu tāo miàn qián zhuān jìn chán yán　　shuō le
对此怀恨在心，在窦滔面前专进谗言，说了

sū huì de huài huà　　yú shì dòu tāo
苏蕙的坏话，于是窦滔

rì yì shū yuǎn sū huì
日益疏远苏蕙。

sū huì er shí yī suì
苏蕙二十一岁

de shí hou　　fú jiān
的时候，苻坚

pài dòu tāo zhèn shǒu xiāng
派窦滔镇守襄

yáng　　sū huì duì yú
阳。苏蕙对于

tā de bó qíng shí fēn
他的薄情十分

qì fèn　　biàn bù hé tā
气愤，便不和他

tóng xíng　　dòu tāo biàn dài zhe
同行，窦滔便带着

赵阳台赴任。

苏蕙在秦州苦苦等了窦涛整整两年，都没有得到窦涛的一点音信。苏蕙十分悲愤，想要感化窦涛，让他记起两人的感情。于是，她又用了以前的方法，用五彩丝线在八寸见方的锦帕上织就一幅莹心耀目，题诗二百余首，纵横反复皆为文章的回文诗，送至襄阳。窦涛读后，悔恨交加，立即把赵阳台送走了，并亲自备了车马，用隆重的礼节把苏蕙从秦州接到襄阳。窦涛和苏蕙夫妻二人终恩爱如初，白头偕老。

识字学成语

多愁感　不　轻重　化　为零

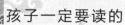
原 文

沙对水，火对灰，雨雪对风雷。书淫①对
传癖，水浒②对岩隈。歌旧曲，酿新醅③，舞馆
对歌台。春棠经雨放，秋菊傲霜开。作酒固
难忘曲蘖④，调羹必要用盐梅。月满庾楼，据
胡床而可玩；花开唐苑，轰羯鼓以奚催。

释 义

①书淫：指皇甫谧，博览群书。时号书淫。

②浒：水边。

③醅：没有过滤过的酒。

④曲蘖：酿酒的曲。

译 文

　　沙与水相对，火与灰相对，雨雪和风雷相对。非常喜欢读书而被称为
"书淫"的晋朝皇甫谧，与喜欢《左传》而被称为"传癖"的晋朝杜预相
对；水岸与山沟相对。唱旧曲，酿新酒，跳舞的场所与歌舞的楼台相对。
一场春雨后海棠纷纷绽放，严霜之中秋菊傲然盛开。酿酒时当然离不开曲蘗，调味时一定会用盐和梅。满月高照，庾亮登上南楼，坐在胡床上与众人尽情吟咏玩乐；唐宫园中花朵未开，太宗敲打着羯鼓吟诗赏花，鼓乐如雷声一样，竟催得一园杏花全开。

故 事

孟郊与《游子吟》

唐朝德宗年间，孟郊担任江苏省溧阳县县尉。一天晚上，他正在房中看书，看了一会儿，就觉得有些累了，于是便站起来走到窗前。此时，窗外皓月当空。他抬头望明月，心中不由得升起一股思乡之情。

孟郊回想自己几十年寒窗苦读，五十来岁才中了进士，做了一个小小的县尉。这几十年，老母亲为了自己付出了多少心血啊！自己每次赴京赶考，出门前白发苍苍的老母亲总是忙着为自己准备行装。特别是

zhè yí cì chū mén de qián yì wǎn   mǔ qīn zuò zài hūn àn de yóu dēng
这一次出门的前一晚，母亲坐在昏暗的油灯

xià   yì zhēn zhēn de wèi zì jǐ féng yī fu   mǔ qīn biān féng biān niàn
下，一针针地为自己缝衣服。母亲边缝边念

dao zhe   féng de mì shi yì diǎn er   cái jiē shi   nài chuān   chū
叨着："缝得密实一点儿，才结实、耐穿。出

mén zài wài yào duō bǎo zhòng shēn tǐ   zǎo diǎn er huí lai   dāng
门在外要多保重身体，早点儿回来……"当

shí   tīng zhe mǔ qīn nuǎn rén xīn pí de huà yǔ   wàng zhe mǔ qīn bù
时，听着母亲暖人心脾的话语，望着母亲布

mǎn zhòu wén de liǎn páng hé rú shuāng de bái fà   mèng jiāo de xīn lǐ yí
满皱纹的脸庞和如霜的白发，孟郊的心里一

zhèn suān chǔ   tā de yǎn jīng shī rùn le
阵酸楚，他的眼睛湿润了……

孟郊想到这儿，不由感到一股诗情蓬勃而发。他返身回到书案前，挥毫写道：

慈母手中线，游子身上衣。

临行密密缝，意恐迟迟归。

谁言寸草心，报得三春晖。

识字学成语

口是非 酸甜辣 事求是

原文

休对咎①，福对灾，象箸②对犀杯。宫花对御柳，峻阁对高台。花蓓蕾③，草根荄④，剔⑤藓对剜苔。雨前庭蚁闹，霜后阵鸿哀。元亮南窗今日傲，孙弘东阁几时开。平展青茵⑥，野外茸茸软草；高张翠幄⑧，

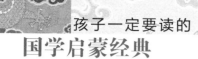

tíngqián yù yù liánghuái
庭 前 郁 郁 凉 槐 。

🍇 释 义

①休对咎：休，吉庆、欢乐；咎，灾祸。

②箸：筷子。

③蓓蕾：没开的花，即花骨朵。

④荄：草根。

⑤剔：剔除，把不合适的去掉。剜：用刀子等挖。

⑥青茵：绿草地。茵，垫子或者褥子。

⑦茸茸：又短又软又浓密。

⑧幄：帐篷。

🍇 译 文

　　吉与凶相对，福和灾相对，用象牙做的筷子与用犀牛角做的酒杯相对。宫苑里的花和柳相对，高耸的楼阁与亭台相对。含苞欲放的花骨朵与小草的根相对，剔除苔藓与挖掉青苔相对。下雨前庭院里到处可见忙碌的蚂蚁，严霜后常可听到大雁的阵阵哀鸣。晋朝诗人陶渊明曾有诗句"倚南窗以寄傲"，西汉大臣孙弘招贤纳士的东阁何时再开？野外平坦翠绿的草地，顺滑得像一张天然的绿色褥子；庭院前郁郁葱葱的槐树，在烈日下就像高高挂起的绿色帷幕。

✿ 故事

七岁李贺展诗才

李贺是唐代著名的诗人。李贺从小就是个神童，七岁的时候就能写出作品，名动京城，令那些文坛耆宿侧目。其中，韩愈不太相信一个乳臭未干的孩子能有如此造诣——年仅七岁的李贺，怎么能有那种诗歌才华，又怎么可能震动文坛呢？

带着这样的质疑，韩愈将七岁的李贺请到了家中，想要亲身试验一下。李贺虽然是个小孩子，但是却并不像别的孩子那样惧怕生人。不仅如此，他还表现出一副十分欣喜的样子，并当场写了一首诗，名曰《高轩过》：

huá jū zhī cuì qīng rú cōng　　jīn huán yā pèi yáo líng lóng
华裾织翠青如葱，金环压辔摇玲珑。

mǎ tí yǐn ěr shēng lóng lóng　　rù mén xià mǎ qì rú hóng
马蹄隐耳声隆隆，入门下马气如虹。

yún shì dōng jīng cái zǐ　　wén zhāng jù gōng
云是东京才子，文章巨公。

èr shí bā xiù luó xīn xiōng　　jiǔ jīng zhào yào guàn dāng zhōng
二十八宿罗心胸，九精照耀贯当中。

diàn qián zuò fù shēng mó kōng　　bǐ bǔ zào huà tiān wú gōng
殿前作赋声摩空，笔补造化天无功。

páng méi shū kè gǎn qiū péng　　shuí zhī sǐ cǎo shēng huá fēng
庞眉书客感秋蓬，谁知死草生华风。

wǒ jīn chuí chì fù míng hóng　　tā rì bù xiū shé zuò lóng
我今垂翅附冥鸿，他日不羞蛇作龙。

hán yù dāng chǎng jīng dāi le　jīng chà yú yí gè qī suì hái zi
韩愈当场惊呆了，惊诧于一个七岁孩子

de cái huá　dāng shí zài chǎng de hái yǒu huáng fǔ shí　tā yě tóng
的才华。当时在场的还有皇甫湜，他也同

yàng de zàn tàn　liǎng wèi lǎo shī rén ài xī xiǎo lǐ hè de cái huá
样的赞叹。两位老诗人爱惜小李贺的才华，

qīn zì wèi qí zhěng lǐ tóu fa　bìng bǎ zì jǐ de zuò qí zèng sòng gěi
亲自为其整理头发，并把自己的坐骑赠送给

tā　ràng tā qí zhe huí jiā qù le　cóng cǐ　lǐ hè de shī míng
他，让他骑着回家去了。从此，李贺的诗名

chuán de gèng yuǎn le
传得更远了。

识字学成语

小 牛刀　　华正茂　　胆 如鼠

对应古诗

yáo chí
《瑶池》

唐·李商隐

yáo chí ā mǔ qǐ chuāng kāi　huáng zhú gē shēng dòng dì āi
瑶池阿母绮窗开，黄竹歌声动地哀。
bā jùn rì xíng sān wàn lǐ　mù wáng hé shì bù chóng lái
八骏日行三万里，穆王何事不重来？

十一真

原文

邪对正，假对真，獬豸①对麒麟。韩卢②对苏雁③，陆橘对庄椿④。韩五鬼⑤，李三人⑥，北魏对西秦。蝉鸣哀暮夏，莺啭⑦怨残春。野烧焰腾红烁烁，溪流波皱碧粼粼。行无踪，居无庐，颂成酒德；动有时，藏有节，论著钱神。

释义

①獬豸：古代传说中的异兽，能分辨是非曲直，见人争斗就用角去顶坏人。

②韩卢：战国时期韩国的一种名犬。

③苏雁：西汉苏武出使匈奴，被扣留在北海牧羊。苏武写了一封信绑在大雁的腿上，大雁飞回到汉朝中报信。

④庄椿：《庄子》寓言中说的大树，以八千岁为春天，以八千岁为秋天。

⑤韩五鬼：唐朝韩愈《送五穷鬼文》里把命穷、智穷、学穷、文穷、交穷称为"五穷鬼"。

⑥李三人：唐朝诗人李白的《月下独酌》中有"举杯邀明月，对影成三人"的句子。

⑦哢：鸟儿婉转地鸣叫。

译 文

邪恶与正直相对，虚假与真实相对，獬豸对应麒麟。韩国的名犬子卢与替苏武传书的大雁，陆绩藏的橘子对庄子笔下的椿树。韩愈写过"五穷鬼"，李白吟唱"对影成三人"；北魏与西秦相对。知了哀叹着夏天即将过去，黄莺怨恨春天到了尽头。野外烧荒时腾起红灿灿的火焰，溪水流动时皱起绿色的波纹。"行无踪，居无庐"，是刘伶《酒德颂》里的句子；"动有时，藏有节"，是鲁褒《钱神论》中的语句。

故 事

zhǐ yāo gōng fu shēn   tiě bàng mó chéng zhēn
只要功夫深，铁棒磨成针

lǐ bái cóng xiǎo jiù shì yí gè fēi cháng cōng míng de hái zi   kě
李白从小就是一个非常聪明的孩子。可

yě shì yí gè tān wán er de hái zi
也是一个贪玩儿的孩子。

yǒu yì tiān   tā kàn dào zài yì tiáo qīng chè de xiǎo xī biān
有一天，他看到在一条清澈的小溪边，

yí wèi bái fà cāng cāng de lǎo pó po zhèng mó yì gēn hěn cū de tiě
一位白发苍苍的老婆婆正磨一根很粗的铁

bàng　lǐ bái kàn jiàn lǎo pó po zhè me xīn kǔ de mó tiě bàng　jué
棒。李白看见老婆婆这么辛苦地磨铁棒，觉

de shí fēn hào qí　yú shì tā pǎo shàng qián qù　lái dào lǎo pó po
得十分好奇。于是他跑上前去，来到老婆婆

de shēn páng　hěn yǒu lǐ mào de shuō　pó po　nín hǎo　qǐng
的身旁，很有礼貌地说："婆婆，您好。请

wèn nín mó zhè gēn dà tiě bàng gàn shén me ne　lǎo pó po jì xù
问您磨这根大铁棒干什么呢？"老婆婆继续

zhuān xīn de mó zhe tā de tiě bàng　tóu yě bù huí de shuō　wǒ
专心地磨着她的铁棒，头也不回地说："我

ya　wǒ yào bǎ tā mó chéng yì zhī xì xì de xiù huā zhēn　lǐ
呀，我要把它磨成一支细细的绣花针。"李

bái dū zhe zuǐ shuō
白嘟着嘴说：

zhè me cū de tiě
"这么粗的铁

bàng néng mó chéng zhēn
棒能磨成针

ma　lǎo pó po
吗？"老婆婆

tíng xià shǒu zhōng de
停下手中的

huó　cí xiáng de duì
活，慈祥地对

lǐ bái shuō　hǎo
李白说："好

hái zi　zhǐ yào gōng
孩子，只要功

夫深，铁棒也能磨成绣花针哩！"李白突然明白了一个道理，使劲地点了点头。

这件事给李白留下了深刻的印象，后来凡是读书碰到困难，他就自然而然地想起"只要功夫深，铁棒磨成针"的教导，坚持不懈地读书，为他以后在诗歌创作上取得成功打下了牢实的基础。

识字学成语

慧过人　思妙想　其　不扬

原文

哀对乐，富对贫，好友对嘉宾。弹冠①对结绶②，白日对青春。金翡翠③，玉麒麟④，虎爪对龙麟。柳塘生细浪，花径起香尘。

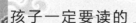
xián ài dēng shān chuān xiè jī　　zuì sī lù jiǔ tuō táo jīn　 xuě lěng
闲 爱 登 山 穿 谢 屐⑤，醉 思 漉 酒 脱 陶 巾。雪 冷

shuāng yán　　yǐ kǎn sōng yún　 tóng ào suì　　rì chí fēng nuǎn　 mǎn yuán
霜 严，倚 槛 松 筠⑥同 傲 岁；日 迟 风 暖，满 园

huā liǔ　gè zhēngchūn
花 柳 各 争 春。

释 义

①弹冠：汉代王阳为益州刺史，好友贡禹弹冠为其庆祝，不久
王吉就引荐他做了大夫。冠，帽子。

②结绶：即佩系印绶，出仕为官。汉代的萧育与朱博关系十分
友好，两人互相举荐，在当时盛名一时。

③翡翠：鹬鸟。陈子昂诗："翡翠巢南海，雄雌珠树林。何知
美人意，娇爱比黄金。"古代妇人多用翠羽装饰金钿。

④麒麟：传说中的一种动物，古代帝王都喜欢用玉麒麟做符。

⑤谢屐：南朝诗人谢灵运爱好出游，每次登山都穿木屐。

⑥筠：竹子外面的青皮。这里借指竹子。

译 文

悲哀与快乐相对应，富裕对贫穷相对应，好友与嘉宾相对应。弹去帽
子上的灰尘对应整理衣服的带子，明亮的太阳对应明媚的春天。镶金的翡
翠，玉制的麒麟；老虎的爪子对应巨龙的鳞甲。柳枝拂过池塘产生细细的
波纹，开满鲜花的小路扬起有香味的尘土。空闲的时候爱像谢灵运一样穿
着木屐登山，喝醉时想像陶渊明那样用头巾滤酒。霜雪寒冷，栏杆外的松
树和竹子都能傲然面对；春日温暖，园子里的鲜花和杨柳竞相争艳。

故 事

朱庆余赋诗问前途

朱庆余是个有理想有抱负的青年，他把自己学习张籍新乐府的诗作寄给当时的名家张籍，请他不吝赐教。朱庆余的诗让张籍眼前一亮，真是孺子可教啊。于是，张籍便给朱庆余诗歌创作上很多的指导。

渐渐地，科举考试的日子临近了，虽然有贵人相助，朱庆余的心里还是十分忐忑，一夜未眠。他再次给恩师张籍寄去一首诗《近试上张水部》：

洞房昨夜停红烛，待晓堂前拜舅姑。

妆罢低声问夫婿，画眉深浅入时无？

从诗的内容来看，通俗易懂。新婚之

夜，天还未明，新娘就早早起来梳洗打扮，等待天亮到正屋厅去拜见公婆。装扮好后，轻轻地问新郎："我这眉毛画得深浅合适吗？"短短几句，把新娘那种忐忑不安、小心谨慎的心态刻画得惟妙惟肖。但是，这首诗的内容并不仅仅如此。临近应试，朱庆余写的这首诗献给张籍，把一个应试人比作待

拜见公婆的新娘，那份心态真是同出一辙，十分逼真："我的文章不知能够通过考试吗？"

看了这首诗，张籍会心一笑，又有几分自得。他大笔一挥

xiě le yì shǒu
写了一首：

yuè nǚ xīn zhuāng chū jìng xīn　　zì zhī míng yàn gèngchén yín
越女新妆出镜新，自知明艳更沉吟。

qí wán wèi zú shí rén guì　　yì qǔ líng gē dǐ wàn jīn
齐纨未足时人贵，一曲菱歌抵万金。

zhè yí xià　　zhū qìng yú gèng shì jiè míng rén zhī míng ér yì jǔ
这一下，朱庆余更是借名人之名而一举

chéng míng　　shī míng liú yú hǎi nèi　　bìng yú bǎo lì èr nián jìn
成名，"诗名流于海内"，并于宝历二年进

shì jí dì　　guānshòu mì shū shěng jiào shū láng
士及第，官授秘书省校书郎。

识字学成语

冠李戴　　仆后继　　而不宣

原 文

xiāng duì huǒ　　tàn duì xīn　　rì guān duì tiān jīn　　chán xīn duì
香对火，炭对薪，日观①对天津②。禅心对

dào yǎn　　yě fù duì gōng pín　　rén wú dí　　dé yǒu lín　　wàn shí duì
道眼，野妇对宫嫔。仁无敌，德有邻，万石对

qiān jūn　　tāo tāo sān xiá shuǐ　　rǎn rǎn yì xī bīng　　chōng guó gōng míng
千钧。滔滔三峡③水，冉冉一溪冰。充国功名

dāng huà gé　　zǐ zhāng yán xíng guì shū shēn　　dǔ zhì shī shū　　sī
当画阁④，子张言行贵书绅⑤。笃志诗书，思

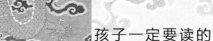

rù shèngxián jué yù　wàngqíngguān jué　xiū zhānmíng lì xiānchén
入 圣 贤 绝 域 ； 忘 情 官 爵 ， 羞 沾 名 利 纤 尘 。

释 义

①日观：为泰山上之日观峰，鸡鸣可见日。

②天津：桥名。

③三峡：《广兴记》记载三峡为"明月峡、巫山峡、广泽峡"。

④画阁：《汉书》载汉宣帝甘露三年，赵充国与霍光等人因军功显赫，其图像画在麒麟阁。

⑤绅：带子。

译 文

　　焚香对应点火，煤炭对应木柴，日观峰对应天津桥。寂静安定的心境对应潇洒飘逸的眼界，乡下的妇女对应宫里的妃嫔。仁爱者无敌，贤德者有伴，万石对应千钧。三峡水浩浩荡荡，小溪水缓缓而下。赵充国功名卓著有资格把画像挂在麒麟阁，子张的可贵之处在于能将孔子关于"言行"的教诲写在衣带上牢记不忘。立志钻研诗书，想要进入圣人贤士的领域；对做官不感兴趣，则羞于和名利扯上丝毫关系。

✿ 故 事

杜甫月夜忆亲人

杜甫一生颠沛流离，漂泊不定，对于自己的家乡、亲人十分思念。安史之乱爆发之后，杜甫把妻儿家室安置在鄜州，八月太子在灵武即位，消息传来，杜甫一人从鄜州奔向灵武，希望投奔新帝有所作为。半途中他却被安史叛军俘虏，押解到长安。诗人身居已经沦陷的长安，心中牵挂鄜州的妻子。在一个秋天的月夜里，杜甫写下了这首真挚感人的思亲之作《月夜》：

今夜鄜州月，闺中只独看。

遥怜小儿女，未解忆长安。

香雾云鬟湿，清辉玉臂寒。

何时倚虚幌，双照泪痕干。

杜甫的这首诗本意是要表达自己对妻子深切的思念，但却从妻子对自己的思念写起，让思念从彼岸飞来，可见杜甫思妻之深切。

动荡的时局，艰难的生活，更加激起他对亲人的无限深情，在战乱威胁之下，杜甫心念诸弟，在白露节之夜的月光之下写下了《月夜忆舍弟》这首诗：

戍鼓断人行，边秋一雁声。

露从今夜白，月是故乡明。

有弟皆分散，无家问死生。

寄书长不达，况乃未休兵。

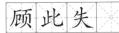

识字学成语

| 顾 | 此 | 失 | | | 意 | 味 | | 长 | 真 | 相 | 大 | |

对应古诗

《台头寺步月得人字》

宋·苏轼

风吹河汉扫微云，步屧中庭月趁人。

浥浥炉香初泛夜，离离花影欲摇春。

遥知金阙同清景，想见毡车碾暗尘。

回首旧游真是梦，一簪华发岸纶巾。

十二文
shí èr wén

原文

家对国，武对文，四辅对三军①。九经对三
jiā duì guó wǔ duì wén sì fǔ duì sān jūn jiǔ jīng duì sān

史，菊馥对兰芬。歌北鄙②，咏南薰③，迩听对
shǐ jú fù duì lán fēn gē běi bǐ yǒng nán xūn ěr tīng duì

遥闻。召公周太保④，李广汉将军⑤。闻化
yáo wén shào gōng zhōu tài bǎo lǐ guǎng hàn jiāng jūn wén huà

蜀民皆草偃，争权晋土已瓜分。巫峡夜
shǔ mín jiē cǎo yǎn zhēng quán jìn tǔ yǐ guā fēn wū xiá yè

深，猿啸苦哀巴地月；衡峰秋早，雁飞高贴楚
shēn yuán xiào kǔ āi bā dì yuè héng fēng qiū zǎo yàn fēi gāo tiē chǔ

天云。
tiān yún

释义

①四辅对三军：四辅，传说古代天子有四个辅佐官；三军，古
代称步、车、骑三个兵种。

②歌北鄙：殷纣好为北鄙之乐，其忽然败亡，比鄙之乐成为杀伐
之声。

③咏南薰：舜喜南薰之乐，乃发达之声。

④召公周太保：召公名奭，周朝太保。
⑤李广汉将军：李广为西汉名将，号称"飞将军"。

译 文

　　家对应国，武对应文。四位辅佐大臣对应三支常备军队。九种典籍对三部史书，菊花醉人的香气对应兰草淡雅的清芬。纣王喜爱北鄙之声与舜喜好南熏之乐相对，近听与遥闻相应对。召公是周朝的太保，李广是汉代的将军。四川的百姓受到教化后都表示臣服，晋国的领土因为大臣争权而被瓜分。巫峡的夜晚十分漫长，猿猴在巴山的月色中苦苦哀啸着；衡山的秋天来得很早，大雁贴着云朵高高飞翔。

故 事

王勃与滕王阁

　　王勃的父亲在离家很远的地方当官，很久都没有回家。王勃十分想念他，就前去探望。当他经过洪州时，刚好碰上了洪州都督阎伯屿在滕王阁大宴宾客，有很多文人墨客都参加了。于是，王勃也应邀而来。

大家互相恭维一番之后，都督提议做一篇《滕王阁序》，在座的文人都互相谦让，都不愿意出这个风头。为什么呢？原来他们都知道都督是想要让自己的女婿大显身手。大家都不愿意得罪他，就互相推来推去。王勃初生牛犊不怕虎，就毫不谦让地说自己愿意作序。阎伯屿心中十分不满，但是又不好意思当面发作，只得强颜欢笑，说道："愿闻佳作，愿闻佳作。"

文章一开始，王勃写的并不精彩，但是写到后边却越来越精彩了。

孩子一定要读的
国学启蒙经典

周围的人都露出赞赏之色，那位都督却站在一边，什么也不说。可是，当王勃写出："落霞与孤鹜齐飞，秋水共长天一色"时，都督不禁脱口赞道："妙句，天才。"

写完《滕王阁序》之后，王勃已久深思泉涌，又写下了这首传颂千古的《滕王阁诗》：

滕王高阁临江渚，佩玉鸣鸾罢歌舞。

画栋朝飞南浦云，珠帘暮卷西山雨。

闲云潭影日悠悠，物换星移几度秋。

阁中帝子今何在？槛外长江空自流。

原文

敧①对正，见对闻，偃武对修文②。羊车③对鹤驾④，朝旭对晚曛⑤。花有艳，竹

chéng wén　　　mǎ suì　　duì yáng xīn　　　shān zhōng liáng zǎi xiāng　　shù xià hàn
成 文，马 燧⑥ 对 羊 欣⑦。山 中 梁 宰 相，树 下 汉

jiāng jūn　　　shī zhàng jiě wéi jiā dào yùn　　dāng lú gū jiǔ tàn wén jūn　　hǎo
将 军。施 帐 解 围 嘉 道 韫，当 垆 沽 酒 叹 文 君。好

jǐng yǒu qī　　　běi lǐng jǐ zhī méi sì xuě　　fēng nián xiān zhào　　xī jiāo qiān
景 有 期，北 岭 几 枝 梅 似 雪；丰 年 先 兆，西 郊 千

qǐng jià rú yún
顷 稼 如 云。

🍇 释 义

①敧：倾斜。

②偃武对修文：意思是停息战声，提倡文化。偃，停止。修，培养、改进。

③羊车：相传晋武帝有很多嫔妃，每天晚上拿不定主意谁来侍寝，于是就乘坐羊车命其任意奔跑，宫女们就都在门前插上竹子，把盐水洒在地上引诱羊停下。

④鹤驾：周灵王的太子乘白鹤仙去，所以把太子的座驾称为鹤驾。

⑤曛，日落时的余光。

⑥马燧：唐德宗时期的宰相。

⑦羊欣：南宋人，曾任新安太守。

🍇 译 文

　　倾斜对应正直，看到对应听见，停息战事对应提倡文教。宫中的羊车对太子的车驾，朝阳的光华对落日的余晖。花朵有鲜艳的颜色，竹子有细密的纹理，唐代宰相马燧对应晋代羊欣。梁朝陶宏景被称为"山中宰相"，汉代

冯异被称为"大树将军"。坐在帐子里替王凝之解决困境，谢道韫的才华令人赞赏；站在柜台前面和司马相如一起卖酒，卓文君的遭遇令人感叹。北岭有几枝梅树已经绽开了雪一样的花朵，很快就可以观赏；西郊上千顷的庄稼长得像云一样繁盛，这是丰年预兆。

故 事

贺知章与李白

唐代诗人贺知章，字季真，会稽人，是我国历史上一位妇孺皆知的著名人物。贺知章之所以有名，不在于他的进士出身，也不在于他当过太常博士、礼部侍郎、集贤院学士。他之所以有名，是因为他的一生中有许多闪光点，深深地烙印在人们的脑海中。

贺知章爱才若渴，曾热情提携诗坛后辈。当他身居太子宾客时，李白还是一个平民，诗才也只是初露头角。但是，当贺知章读了李白写的《蜀道难》后，便对其诗歌与才华赞叹不已，称李白是"谪仙"。当时，他们俩的年龄相差四十多岁，但贺知章和李白却一见如故，对饮畅叙，结为忘年知己。

那天，贺知章身上没钱买酒，竟然毫不犹豫地解下佩在身上的显示官品级别的金龟，换取酒菜，这就是著名的"金龟换酒"典故的由来。后来，贺知章在皇帝面前推荐了李白，皇帝把李白召进宫中，任为供奉翰林。从此，李白的名声鹊起。

lǐ bái wéi rén　　yí xiàng yǐ gāo ào wén míng　　hěn shǎo yǒu tā
李白为人，一向以高傲闻名，很少有他

chēng xǔ de rén　　dàn duì hè zhī zhāng　　tā zūn zhòng bèi zhì　　xiě le
称许的人。但对贺知章，他尊重备至，写了

xǔ duō huái niàn hè zhī zhāng de shī piān　　rú　　duì jiǔ yì hè jiān　　yì
许多怀念贺知章的诗篇，如《对酒忆贺监》一

shī
诗：

sì míng yǒu kuáng kè　　fēng liú hè jì zhēn
四明有狂客，风流贺季真。

cháng ān yì xiāng jiàn　　hū wǒ zhé xiān rén
长安一相见，呼我谪仙人。

xī hào bēi zhōng wù　　jīn wéi sōng xià chén
昔好杯中物，今为松下尘。

jīn guī huàn jiǔ chù　　què yì lèi zhān jīn
金龟换酒处，却忆泪沾巾。

识字学成语

椟还珠　一 之差　是人非

原 文

yáo duì shùn　xià duì yīn　cài huì duì liú kuì　shān míng
尧 对 舜， 夏 对 殷， 蔡 惠 对 刘 蒉。 山 明

duì shuǐ xiù　wǔ diǎn duì sān fén　táng lǐ dù　jìn jī yún
对 水 秀， 五 典 对 三 坟。 唐 李 杜①， 晋 机 云②，

shì fù duì zhōng jūn　yǔ qíng jiū huàn fù　shuāng lěng yàn hū qún
事 父 对 忠 君。 雨 晴 鸠 唤 妇③， 霜 冷 雁 呼 群。

jiǔ liàng hóng shēn zhōu pú yè　shī cái jùn yì bào cān jūn　niǎo yì
酒 量 洪 深 周 仆 射④， 诗 才 俊 逸 鲍 参 军⑤。 鸟 翼

cháng suí　fèng xī xún zhòng qín cháng　hú wēi bù jiǎ　hǔ yě zhēn bǎi
长 随， 凤 兮 洵 众 禽 长； 狐 威 不 假； 虎 也 真 百

shòu zūn
兽 尊。

释 义

①唐李杜：指唐朝李白、杜甫以诗齐名。

②晋机云：晋朝陆机、陆云兄弟以文齐名。

③鸠唤妇：鸠天阴则逐其妇，天晴则呼之。

④周仆射：晋代周顗嗜酒，为仆射后，因酒误事被免职，号称
"三日仆射"。

⑤诗才俊逸鲍参军：南朝诗人鲍照曾做参军，诗情俊逸。

译 文

　　尧对应舜，夏朝对应殷商；汉代的蔡惠对应唐朝的刘蕡。山色明媚对水景秀丽，五部典籍对应三本古书。唐代有李白和杜甫，晋朝有陆机和陆云，侍奉父母对效忠君主。

　　雨过天晴鸠鸟呼唤伴侣，霜寒地冻大雁呼唤同伴。晋代仆射周顗酒量非常大，参军鲍照诗才清新飘逸。鸟都展开翅膀跟着，凤凰的确是众鸟之长；狐狸借去的威风不假，老虎确实是百兽之尊。

故 事

左思与洛阳纸贵

　　在西晋太康年间出了位很有名的文学家叫左思，他曾做一部《三都赋》在京城洛阳广为流传，人们啧啧称赞，竞相传抄，一下子使纸昂贵了几倍。不少人只好到外地买纸，抄写这篇千古名赋，后来便有了"洛阳纸贵"这个成语。

然而，左思写成《三都赋》却是历经很多曲折的。当左思读了东汉班固写的《两都赋》和张衡写的《两京赋》后，十分佩服文中的宏大气魄，可是也看出了其中虚而不实的弊病。从此，他决心依据事实和历史的发展，写一篇《三都赋》。为写《三都赋》，

左思开始收集大量有关历史、地理、物产、风俗人情的资料。收集好后，他闭门谢客，开始苦写。经过十年，这篇凝结着左思甘苦心血的《三都赋》终于写成了！

可是，当左思把自己的文章交给别人看时，他却受到了讥讽。有人挖苦道："京城里有个狂妄的家伙写《三都赋》，我看他写成的东西只配给我用来盖酒坛子！"

左思不甘心自己的心血遭到埋没，找到了著名文学家张华。

张华先是逐句阅读了《三都赋》，称赞道："文章非常好！皇甫谧先生很有名气，而且为人正直，让我和他一起把你

识字学成语

尽磨难　欲　弥彰　不绝口

的文章推荐给世人！"皇甫谧看过《三都赋》以后也是感慨万千，他对文章予以高度评价。

在名人的推荐下，《三都赋》很快风靡京都，人人对它称赞不已。

对应古诗

《江南逢李龟年》

唐·杜甫

歧王宅里寻常见，崔九堂前几度闻。

正是江南好风景，落花时节又逢君。

shí sān yuán
十三元

🍇 **原 文**

yōu duì xiǎn　jì duì xuān　liǔ àn duì táo yuán　yīng péng duì
幽对显，寂对喧，柳岸对桃源①。莺朋对

yàn yǒu　zǎo mù duì hán xuān　yú yuè zhǎo　hè chéng xuān
燕友，早暮对寒暄②。鱼跃沼③，鹤乘轩④，

zuì dǎn duì yín hún　qīng chén shēng fàn zèng　jī xuě yōng yuán mén
醉胆对吟魂。轻尘生范甑，积雪拥袁门。

lǚ lǚ qīng yān fāng cǎo dù　sī sī wēi yǔ xìng huā cūn　yì què wáng
缕缕轻烟芳草渡，丝丝微雨杏花村。诣阙⑤王

tōng　xiàn tài píng shí èr cè　chū guān lǎo zǐ　zhù dào dé wǔ qiān
通，献太平十二策；出关老子，著道德五千

yán
言。

🍇 **释 义**

①桃源：晋代陶渊明在《桃花源记》中虚构的世外桃源。

②寒暄：冷暖。

③沼：天然的水池。

④鹤乘轩：《左传》记载，春秋时期的卫懿公喜欢鹤，让鹤乘坐轩车，后来狄国伐卫，老百姓说：鹤有禄位，皇上还是让鹤去打

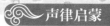

仗吧!

⑤诣阙：诣，到某人所在的地方。阙，指古代皇宫大门两边供
瞭望时用的楼亭，泛指帝王的住处。

译 文

　　幽暗与明显相对应，寂静与喧哗相对应。种着柳树的河岸与开满桃花
的水源相对应。与黄莺为朋对应和燕子为友，早晚与冷暖相对应。鱼儿跃
出水面，白鹤乘坐轩车，醉酒后的胆量对应吟诗时的精魂。范丹煮饭的锅
里落了细微的尘土，袁安的门口堆满了厚厚的雪花。长满绿草的渡口飘
起缕缕轻烟，开满杏花的村庄落着丝丝细雨。王通曾经向朝廷献上十二篇
《太平策》，老子出关的时候写下五千言的《道德经》。

故 事

班婕妤与团扇诗

　　班婕妤，汉代著名的才女，婕妤是宫中
嫔妃的"职称"。当时，因为班婕妤长得很
漂亮，知书达礼，一开始皇帝十分宠幸她，
不久就把她提升为"婕妤"的等级，并给她

kuò jiàn gōng shè
扩建宫舍。

dàn shì hǎo jǐng bù cháng　zhào fēi yàn hé　tā　de mèi mei zhào hé
但是好景不长，赵飞燕和她的妹妹赵合

dé　jiù yuè lái yuè dé dào hàn chéng dì　de huān xīn　　qǔ dài le bān jié
德就越来越得到汉成帝的欢心，取代了班婕

yú de dì wèi　　fēi yàn jiě mèi liǎ hěn kuài jiù zhàn jù le hàn chéng dì
妤的地位，飞燕姐妹俩很快就占据了汉成帝

de quán bù shì jiè
的全部世界。

zhào shì jiě mèi jí shòu hàn chéng dì de chǒng ài　　hěn kuài jiù
赵氏姐妹极受汉成帝的宠爱，很快就

xiǎng bān kāi xǔ huáng hòu zhè
想搬开许皇后这

gè bàn jiǎo shí　　tā men
个绊脚石，她们

wū gào xǔ huáng hòu gǎo xié
诬告许皇后搞邪

jiào huó dòng　　yīn móu yòng
教活动，阴谋用

wū gǔ　　lái jiā hài
"巫蛊"来加害

huáng dì　　suǒ yǐ xǔ huáng
皇帝。所以许皇

hòu bēi shàng zhè gè zuì míng
后背上这个罪名

hòu bèi fèi diào　　bù jiǔ zì
后被废掉，不久自

shā le　　zhào shì jiě mèi hái
杀了。赵氏姐妹还

想一并除掉班婕妤，但幸好汉成帝还不是十足的昏君。由于班婕妤一向行得端正，所以汉成帝觉得班婕妤这样品志高洁的人绝对不会做这种下作的事。

班婕妤是个非常明智的女人，她早已厌倦了后宫里的你争我夺，便以王太后年岁已高为由，请求到长信宫服侍太后。

但是深宫之中，那种孤单寂寞的心情，也是别有一番滋味在心头。于是班婕妤以团扇自喻，写出这一首流传千古的佳作：

新制齐纨素，皎洁如霜雪。

裁作合欢扇，团圆似明月。

出入君怀袖，动摇微风发；

常恐秋节至，凉飚夺炎热；

弃捐箧笥中，恩情中道绝。

原 文

儿对女，子对孙，药圃对花村。高楼对邃^①阁，赤豹对玄^②猿。妃子骑^③，夫人轩^④，旷野对平原。匏巴能鼓瑟，伯氏善吹埙。馥馥早梅思驿使，萋萋芳草怨王孙。秋夕月明，苏子黄岗游赤壁；春朝花发，石家金谷启芳园。

释 义

①邃：（时间、空间）深远。

②玄：黑色。

③妃子骑：唐代诗人杜牧《过华清宫绝句》中有"一骑红尘妃子笑，无人知是荔枝来"的句子。

④夫人轩：战国时期齐国赠送给鲁国夫人一辆用鱼皮装饰的轩车。

译 文

儿对应女，子对应孙，种着药草的园子对应开满鲜花的村庄。高耸的楼对曲折的阁，红色的豹子对黑色的猿猴。为妃子送荔枝的马，鲁国夫人乘坐的车；广阔的田野对平坦的郊原。饱巴能够演奏瑟，伯氏擅长吹奏埙。闻到早开的梅花那浓郁的香味，就开始想驿使是否能带来远方朋友的信；看到春天茂盛的绿草，就会怨恨王孙远游不归。月色明亮的秋夜，苏轼在黄冈游览赤壁；百花盛开的春朝，石崇在金谷园饮酒作赋。

故 事

李白月下独酌

李白四十多岁的时候，由于朋友的推荐而被召入京城，奉为翰林。当时李白豪情满怀，准备干一番轰轰烈烈的事业。但是，晚年的唐玄宗早已经不是之前那个励精图治的皇帝了，他只是让李白当了个御用文人，专门为他寻欢作乐填写一些曲词。为此，李白极为不满。于是，他对昏君，对朝政以及那些趋炎附势的权贵们，不时地嬉笑怒骂。结果，他就经常受到他们的打击。为此，李白

感到十分孤独苦闷，他经常借酒来发泄内心的不快。

一天晚上，李白一个人来到后院。此时，皓月当空，花香袭人。看到这一美景，李白陶醉了，便摆上美酒，痛饮一番。可是，当他刚要斟酒时，却发现，如此美好的夜晚，却不能和亲人朋友对饮，独自一人饮酒真的很乏味。他不禁有些黯然神伤。忽然，他看到天空中的明月，便斟满一杯酒，举起来，邀请明月和他一起饮酒。这时候，皎洁的月光，将诗人的身影投射到地上。于是，天上的明月和地上的身影就成了陪伴诗人饮酒的朋友了。李白诗意大发，借此写

识字学成语

其___融融　火攻心　声不响

xià le yuè xià dú zhuó
下 了《月 下 独 酌》：

huā jiān yì hú jiǔ　　dú zhuó wú xiāng qīn
花 间 一 壶 酒，独 酌 无 相 亲。

jǔ bēi yāo míng yuè　　duì yǐng chéng sān rén
举 杯 邀 明 月，对 影 成 三 人。

yuè jì bù jiě yǐn　　yǐng tú suí wǒ shēn
月 既 不 解 饮，影 徒 随 我 身。

zàn bàn yuè jiāng yǐng　　xíng lè xū jí chūn
暂 伴 月 将 影，行 乐 须 及 春。

wǒ gē yuè pái huái　　wǒ wǔ yǐng líng luàn
我 歌 月 徘 徊，我 舞 影 凌 乱。

xǐng shí tóng jiāo huān　　zuì hòu gè fēn sàn
醒 时 同 交 欢，醉 后 各 分 散。

yǒng jié wú qíng yóu　　xiāng qī miǎo yún hàn
永 结 无 情 游，相 期 邈 云 汉。

原 文

gē duì wǔ　　dé duì ēn　　quǎn mǎ duì jī tún　　lóng chí duì fèng
歌 对 舞，德 对 恩，犬 马 对 鸡 豚①。龙 池 对 凤

zhǎo　　yǔ zhòu duì yún tún　　liú xiàng gé　　lǐ yīng mén　　lì
沼②，雨 骤 对 云 屯③。刘 向 阁④，李 膺 门⑤，唳⑥

hè duì tí yuán　　liǔ yáo chūn bái zhòu　　méi nòng yuè huáng hūn　　suì lěng
鹤 对 啼 猿。柳 摇 春 白 昼，梅 弄 月 黄 昏，岁 冷

sōng yún jiē yǒu jié　　chūn xuān táo lǐ běn wú yán　　zào wǎn qí chán　　suì
松 筠 皆 有 节，春 喧 桃 李 本 无 言。噪 晚 齐 蝉，岁

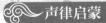
suì qiū lái qì hèn   tí xiāo shǔ niǎo   nián nián chūn qù shāng hún
岁秋来泣恨；啼宵蜀鸟，年年春去伤魂。

释 义

①豚：小猪，泛指猪。

②龙池对凤沼：龙池、凤沼都是禁苑中的池沼名。

③屯：聚集，驻扎。

④刘向阁：西汉学者刘向校书的天禄阁。

⑤李膺门：东汉李膺官居太尉，不轻易与人交往，门槛难进，因此那时人们称登他的家门为"登龙门"。

⑥唳：鹤、雁等飞禽的鸣叫声。

译 文

唱歌对应跳舞，仁德对应恩惠；狗和马对应鸡和猪。皇宫中的龙池对应凤沼，雨下得急对应云层聚集。刘向校书的天禄阁，李膺的家门，鸣叫的鹤鸟对应啼叫的猿猴。春日的柳树在白天摇摆枝条，月下的梅树在黄昏时舞动枝影。天气冷的时候松树和竹子都保持着本来的气节，春天茂盛的桃李本身不会说话。傍晚鸣叫的知了，每年秋天的时候都会长鸣表示怨恨；半夜哀啼的杜鹃，年年春暮的时候总是黯然伤魂。

故 事

wáng wéi zuò shī   sòng jǐng shí cái
王维作诗，宋璟识才

táng xuán zōng kāi yuán jiǔ nián gōng yuán qī èr yī nián   wáng wéi
唐玄宗开元九年(公元七二一年)，王维

赴长安应试。他在试卷上做了一首七律《和贾至舍人早朝大明宫之作》：

绛帻鸡人报晓筹，尚衣方进翠云裘。

九天阊阖开宫殿，万国衣冠拜冕旒。

日色才临仙掌动，香烟欲傍衮龙浮。

朝罢须裁五色诏，佩声归到凤池头。

考完以后，王维喜形于色地对一位友人说，自己的那首七律写得不错，看来金榜题名是很有把握的。

不料这次京试的主考官是个死脑筋先生，他在批阅王维的试卷时读到："万国衣冠拜冕旒"一句，竟然发起火来，说："当今只有九州，这个人却写万国，真是胡说八道，华而不实！"说罢，便将王维的试卷放到不予录取的"下卷"里。

幸好宰相宋璟后来复查试卷时，读了王维的诗，不禁连声叫好。他想，这样好的诗作，为什么被放到"下卷"里呢？

宋璟找来主考官问明情由。当他知道是为"万国"一句之故时，真是又好气又好笑。他责备主考官说："老先生太迂腐了。这'万国'是万方的意思，'万国衣冠拜冕旒'，是颂扬我朝国力鼎盛，万方之邦都臣

155

服。这一句气势不凡，是全诗的警策之处，你怎能说'今无万国只有九州'，而把这样难得的佳作打入'下卷'呢？"

主考官满面通红，无言以对。

由于宋璟慧眼识才，王维这次考试才名列第一。

对应古诗

《宫中词》

唐·朱庆馀

寂寂花时闭院门，美人相并立琼轩。
含情欲说宫中事，鹦鹉前头不敢言。

十四寒

shí sì hán

🌸 原 文

duō duì shǎo　　yì duì nán　　hǔ jù duì lóng pán　　lóng zhōu duì

多对少，易对难，虎踞对龙蟠①。龙舟对

fèng niǎn　　bái hè duì qīng luán　　fēng xī xī　　lù tuán tuán　　xiù

凤辇②，白鹤对青鸾③。风淅淅④，露浼浼⑤，绣

gǔ　　duì diāo ān　　yú yóu hé yè zhǎo　　lù lì liǎo　　huā tān　　yǒu jiǔ

毂⑥对雕鞍。鱼游荷叶沼，鹭立蓼⑦花滩。有酒

ruǎn diāo xī yòng jiě　　wú yú féng jiá bì xū dàn　　dīng gù mèng sōng

阮貂奚用解，无鱼冯铗必须弹。丁固梦松，

kē yè hū rán shēng fù shàng　　wén láng huà zhú　　zhī shāo shū ěr zhǎng háo

柯叶忽然生腹上；文郎画竹，枝梢倏尔长毫

duān

端。

🌸 释 义

①虎踞对龙蟠：虎踞龙蟠是古代对金陵（今天的南京）地理形
势的描述。

②辇：古代用人拉的车，后多指皇帝、皇后坐的车。

③鸾：传说中和凤凰属于一类的鸟。

④淅淅：形容轻微的风、雨、雪等的声音。

⑤浤浤：形容露水多。

⑥绣毂：刻有花纹的车轮。毂，车轮中心带孔的圆木，常用来代指车轮。

⑦蓼：一年生的草本植物，花呈淡绿色或者淡红色，也叫水蓼。

译 文

多与少相对应，容易与困难相对应，虎踞对应龙蟠。皇帝乘坐的龙舟对应后妃乘的凤辇，白色的仙鹤对应青色的鸾鸟。风声细微，露水繁多；装饰华丽的车对配着雕鞍的马。鱼在长满荷叶的池塘游动，鹭鸶在开满水蓼花的滩边站立。有酒喝的时候，阮孚就不用再解下金貂换酒，没有鱼吃的时候，冯谖必定会敲击着长长的宝剑唱出自己的要求。丁固梦见松树，发现枝条和叶子忽然从自己的肚子上长出；文与可擅长画竹，竹枝迅速地在他笔下展现。

故 事

孟郊一日看尽长安花

唐代科举中的进士制，深受读书人重视，因为这是他们登上仕途的重要途径。孟郊曾经两次参加进士考试，都因为时运不济

ér luò xuǎn　　zài mèng jiāo
而落选。在孟郊

sì shí liù suì de shí hou
四十六岁的时候，

tā zài cì cān jiā jìn shì kǎo
他再次参加进士考

shì　　kǎo shì jié shù zhī
试。考试结束之

hòu　　mèng jiāo yì zhí zài kè
后，孟郊一直在客

zhàn zhuì zhuì bù ān de děng
栈惴惴不安地等

dài fā bǎng de xiāo xi
待发榜的消息。

zhè yì tiān　　kǎo
这一天，考

shì jié guǒ zhōng yú gōng bù chū lái le　　mèng jiāo gāo zhōng jìn shì
试结果终于公布出来了，孟郊高中进士。

xiāo xi chuán lái　　mèng jiāo jiǎn zhí nán yǐ xiāng xìn　　tā fǎng fú yí xià
消息传来，孟郊简直难以相信，他仿佛一下

zi cóng kǔ hǎi zhōng tuō lí chū lái le　　shí fēn kuài lè　　shí fēn xīng
子从苦海中脱离出来了，十分快乐，十分兴

fèn　　zài tā xīn zhōng　　guò qù jǐ shí nián de kùn è yǔ shī yì fǎng
奋。在他心中，过去几十年的困厄与失意仿

fú dōu xiāo shī bú jiàn le　　tā jué de fǎng fú tuō tāi huàn gǔ　　chéng
佛都消失不见了。他觉得仿佛脱胎换骨，成

le yí gè xīn rén yì bān
了一个新人一般。

àn zhào guàn lì　　xīn jìn shì men zài fā bǎng zhī hòu　　dōu yào
按照惯例，新进士们在发榜之后，都要

zài cháng ān jǔ xíng yí cì rè nào de jù huì　mèng jiāo qí zhe mǎ shang
在长安举行一次热闹的聚会。孟郊骑着马上

jiē　 jiē shang jǐ mǎn le chūn yóu de rén　mèng jiāo xiǎng　zhōng yú gāo
街，街上挤满了春游的人。孟郊想，终于高

zhòng le　　jīn tiān zhōng yú kě yǐ fàng sōng yí xià le　 yú shì　 yí
中了，今天终于可以放松一下了。于是，一

rì zhī nèi　 tā jiù xīng fèn de qí zhe mǎ kàn jìn le cháng ān chéng de
日之内，他就兴奋地骑着马看尽了长安城的

fán huá　 chōng fèn lǐng lüè le huáng chéng de měi lì jǐng sè　 tóng shí
繁华，充分领略了皇城的美丽景色；同时，

yě liú xià le zhè shǒu kuài zhì rén kǒu de　 dēng kē hòu
也留下了这首脍炙人口的《登科后》：

xī rì wò chuò bù zú kuā　　jīn zhāo fàng dàng sī wú yá
昔日龌龊不足夸，今朝放荡思无涯。

chūn fēng dé yì mǎ tí jí　　yí rì kàn jìn cháng ān huā
春风得意马蹄疾，一日看尽长安花。

识字学成语

跃跃欲			来居上	刀山火

原文

hán duì shǔ　 shī duì gān　 lǔ yǐn duì qí huán①　 hán zhān duì
寒对暑，湿对干，鲁隐对齐桓①。寒毡对

nuǎn xí　　yè yǐn duì chén cān　 shū zǐ dài②　 zhòng yóu guān③
暖席，夜饮对晨餐。叔子带②，仲由冠③，

郏^④鄏对邯郸。嘉禾忧夏旱，衰柳耐秋寒。杨柳绿遮元亮宅^⑤，杏花红映仲尼坛^⑥。江水流长，环绕似青罗带；海蟾轮满，澄明如白玉盘^⑦。

拼音行（自上而下）：
jiá rǔ　duì hán dān　　jiā hé yōu xià hàn　　shuāi liǔ nài qiū hán
yáng liǔ lù zhē yuán liàng zhái⑤　　xìng huā hóng yìng zhòng ní tán⑥　　jiāng
shuǐ liú cháng　huán rào sì qīng luó dài　　hǎi chán lún mǎn　chéng míng rú bái
yù pán⑦

释义

①鲁隐对齐桓：鲁隐就是鲁隐公，为齐桓公庶兄，春秋时鲁国君主。齐桓是齐桓公，春秋时齐国君主。

②叔子带：晋代羊祜字叔子，常缓带轻裘。

③仲由冠：子路字仲由，喜爱戴雄鸡冠，死时冠也不免。

④郏鄏：地名，周朝曾为都城，成王定鼎之地。

⑤元亮宅：元亮就是陶渊明，意思是陶渊明的隐居所。

⑥仲尼坛：孔子字仲尼，曾在杏坛设教。

⑦海蟾轮满，澄明如白玉盘：相传月中有蟾蜍，所以用海蟾代指月亮。

译文

寒冷与炎热想对应，潮湿与干燥相对应，鲁桓公与齐桓公相对应。寒天用的毡毯与被人坐热的席子相对应，晚上饮宴对应早上吃饭。羊叔子束着松缓的衣带，子由戴着华丽的帽子。周成王住在郏鄏，赵国国都是邯郸。长势良好的禾苗经不起夏天的干旱，凋零衰败的柳树耐得住秋天的寒冷。碧绿的柳树密密地遮着陶渊明的住宅，艳红的杏花灿烂地掩映着孔子

讲学的高台。源远流长的江水，好像青罗带一样曲折宛转；从海中升起的
满月，好像白玉盘一般皎洁明亮。

故事

李白醉酒赋诗

李白在长安受到唐玄宗召见后，玄宗让他做翰林供奉，也可叫学士。这实际上不是一种官职，而是皇帝的文学侍从。玄宗召李白来长安，并不想要他参预国家大事，只是让他做些精美诗词，供他享乐。

在兴庆宫的龙池东面以及沉香亭下，种有各色各样的牡丹花。天宝初年的一个春天，牡丹盛开。唐玄宗与杨贵妃前来赏花，挑了十六名最佳的乐工，以著名乐师李龟年为首，各执乐器准备奏乐唱歌助兴。玄

宗说:"今天赏名花,对妃子,怎么可以再听旧乐词。"于是命令李龟年速召翰林李白进宫,写新歌词再唱。李龟年带人到翰林院,却听说学士一早出去喝酒了。于是,李龟年就到长安市中寻找,忽然听到一座酒楼上有人高声狂歌:

三杯通大道,一斗合自然。

dàn dé jiǔ zhōng qù　　wù wèi xǐng zhě chuán
但得酒中趣，勿为醒者传。

lǐ guī nián zhī dào zhè kěn dìng shì lǐ bái　　yú shì shàng lóu qù
李龟年知道这肯定是李白，于是上楼去

qǐng　　shuí zhī lǐ bái yǐ mǐng dǐng dà zuì　　guī nián shàng qián gāo shēng
请，谁知李白已酩酊大醉。龟年上前高声

shuō　　fèng zhǐ lì xuān lǐ xué shì zhì chén xiāng tíng jiàn jià　　shuí zhī
说："奉旨立宣李学士至沉香亭见驾。"谁知

lǐ bái quán rán bù lǐ　　qǔ zhōng niàn dào　　wǒ zuì yù mián jūn qiě
李白全然不理，曲中念道："我醉欲眠君且

qù　　shuō wán pā zài zhuō shàng shuì zháo le　　lǐ guī nián wú nài　　zhǐ
去。"说完趴在桌上睡着了。李龟年无奈，只

hǎo jiào cóng rén tái zhe lǐ xué shì xià lóu　　yòng mǎ tuó zhì xīng qìng gōng
好叫从人抬着李学士下楼，用马驮至兴庆宫。

识字学成语

耐	人		味
风		暴	雨
鱼		落	雁

原文

héng duì shù　　zhǎi duì kuān　　hēi zhì duì dàn wán　　zhū lián duì
横对竖，窄对宽，黑志对弹丸①。朱帘对

huà dòng　　cǎi kǎn duì diāo lán　　chūn jì lǎo　　yè jiāng lán
画栋，彩槛对雕栏。春既老，夜将阑②，

bǎi bì　　duì qiān guān　　huái rén chēng zú zú　　bào yì měi bān bān　　hǎo
百辟③对千官。怀仁称足足，抱义美般般。好

mǎ jūn wáng céng shì gǔ　　shí zhū chǔ shì④ jǐn sī gān　shì yǎng shuāng
马 君 王 曾 市 骨， 食 猪 处 士④ 仅 思 肝。 世 仰　 双

xiān　 yuán lǐ zhōu zhōng xié guō tài　 rén chēng lián bì　 xià hóu chē
仙， 元 礼 舟 中 携 郭 泰， 人 称 连 壁， 夏 侯 车

shàng bìng pān ān
上 并 潘 安。

释 义

①黑志对弹丸：黑志、弹丸都是土地狭小的意思。

②阑：过去。

③百辟：辟，是天子和诸侯国君的通称。百辟在这里指公卿大臣。

④处士：原指有德才但隐居起来不愿做官的人，后泛指没有做过官的读书人。

译 文

　　横对应竖，窄对应宽，像黑痣一样小，像弹丸一样狭。红色的帘子对应画着图案的屋梁，彩绘的栏杆对应雕花的栏杆。春天已到尽头，长夜即将过去，诸侯对官员。怀有仁德的凤凰叫做"足足"，胸怀道义的麒麟被称为"般般"。爱马的燕昭王曾经花重金买回千里马的骨头，汉代处士闵仲叔只爱吃猪肝。李元礼和郭泰同船渡河，人们觉得好像两个神仙；夏侯湛和潘岳一起乘车，人们称他们为连在一起的美玉。

⭐ 故 事

黄 鹤楼之朋友情

李白一生好游，当他来到襄阳的时候，

听说前辈诗人孟浩然在此地隐居，十分高

兴。李白十分钦佩孟浩然那种潇洒清远、冷

漠仕途的品格，所以一到襄阳，他就登门拜访孟浩然。

孟浩然也十分欣赏李白的才能，就热情地招待了他，还留他住了十多天。双方共同的气质和境遇，使他们结下了深厚的友谊。

公元七三〇年，在春光明媚的三月，孟浩然即将动身去扬州，李白便到黄鹤楼去为他送行。此时，江水茫茫，滚滚东去，岸边花红柳绿，云雾缭绕。孟浩然置身于这良辰美景之中，纵然与李白离别有些不舍，但是他此刻游兴正浓，便毅然登船启程了。

李白一直将他送到江边。船启动了，李白站在江岸上，望着渐渐离去的船只，挥手告别。孤帆远去了，终于消失在白云和碧水

zhī jiān　　kě shì　　lǐ bái yī rán yí dòng bú dòng de wàng zhe chuán
之间。可是，李白依然一动不动地望着船

yuǎn qù de fāng xiàng　　zhè shí hou　　yì jiāng xiōng yǒng de bō làng　bēn
远去的方向。这时候，一江汹涌的波浪，奔

xiàng bì kōng jìn tóu　　fǎng fú shì qù zhuī nà yuǎn zǒu de rén　　lǐ bái
向碧空尽头，仿佛是去追那远走的人。李白

shī xìng dà fā　　yì cù ér jiù　　xiě xià le zhè shǒu　sòng mèng hào
诗兴大发，一蹴而就，写下了这首《送孟浩

rán zhī guǎng líng
然之广陵》：

gù rén xī cí huáng hè lóu　　yān huā sān yuè xià yángzhōu
故人西辞黄鹤楼，烟花三月下扬州。

gū fān yuǎn yǐng bì kōng jìn　　wéi jiàn chángjiāng tiān jì liú
孤帆远影碧空尽，唯见长江天际流。

识字学成语

一意□行　纹丝不□　□枝招展

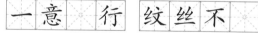

对应古诗

zhōng nán wàng yú xuě
《终南望馀雪》

唐·祖咏

zhōng nán yīn lǐng xiù　　jī xuě fú yún duān
终南阴岭秀，积雪浮云端。

lín biǎo míng jì sè　　chéngzhōngzēng mù hán
林表明霁色，城中增暮寒。